書家揮毫寶典

胡傳海 楊勇 編

上海書畫出版社

圖書在版編目(CIP)數據

書家揮毫寶典／胡傅海，楊勇編．—上海：
上海書畫出版社，2012.8
ISBN 978-7-5479-0437-4

Ⅰ．①書…　Ⅱ．①胡…　②楊…　Ⅲ．①中
國文學－作品綜合集　Ⅳ．①I211

中國版本圖書館CIP數據核字（2012）第166072號

書家揮毫寶典

胡傅海　楊　勇　編

責任編輯　陳　彤
責任校對　郭曉霞
審　　讀　朱莘莘
封面設計　王　峥
技術編輯　錢勤毅

出版發行　上海書畫出版社
地　　址　上海市閔行區號景路159弄A座4樓
郵　　編　201101
網　　址　www.shshuhua.com
E-mail　shcpph@online.sh.cn
印　　刷　上海展强印刷有限公司
經　　銷　各地新華書店
開　　本　787×1092　1/32
印　　張　10.75　　字數 250千字
版　　次　2012年8月第1版
　　　　　2022年7月第7次印刷

書號　ISBN 978-7-5479-0437-4
定價　38.00 元

凡例

- 本書共分五卷，以體裁不同分爲名句、名聯、名詩、名詞、名文。
- 每卷中按内容之不同，分類編排。每類中字數由少到多，便於檢索。
- 附録分爲四個部分，方便書法家題款時查閱。
- 本書使用繁體字竪式編排，符合書法家創作的習慣。

目録

卷一　名句

修身處世

期頤——《禮記·曲記》

浴德——《禮記·儒行》

中庸——《禮記·中庸》

守和——《禮記·表記》

孝慈——《禮記·禮運》

康樂——《禮記·樂記》

清虛——漢·班固《漢書·藝文志》

謙慎——漢·班固《漢書》

豁如——漢·班固《漢書·高帝紀上》

守拙——晉·陶潛《歸園田居》

《荀子·勸學》

弘道養正
——晉·葛洪《抱朴子·外篇》

克己奉公
——六朝·范曄《後漢書·祭遵傳》

老當益壯
——六朝·范曄《後漢書·馬援傳》

神與物游
——六朝·劉勰《文心雕龍》

積健爲雄
——唐·司空圖《二十四詩品》

養真
——晉·陶潛《辛丑歲七月赴假還江陵夜行涂口》

曠達
——《晉書·裴頠傳》

澡雪精神
——《莊子·知北游》

知足常樂
——《老子·儉欲第四十六章》

虚懷若谷
——《老子·道德經第十五章》

積善成德

温恭直諒

——明·王陽明《客坐私祝》

知足以自誡

——唐·魏徵《諫太宗十思疏》

時窮節乃見

——宋·文天祥《正氣歌》

大事必作於細

——《老子·道德經第六十三章》

功成名遂身退

——《老子·道德經第九章》

玉不琢，不成器

——《禮記·學記》

知耻者近乎勇

——《禮記·中庸》

富潤屋，德潤身

——《禮記·大學》

克己復禮爲仁

——《論語·顔淵》

德不孤，必有鄰

——《論語·里仁》

言忠信，行篤敬

——《論語·衛靈公》

不遷怒，不貳過

——《論語·雍也》

君子和而不同
——《論語·子路》

言有物，行有恒
——《周易·下經》

君子以懿文德
懿：美，美化
——《周易·上經》

滿招損，謙受益
——《尚書·大禹謨》

公生明，偏生闇
——《荀子·不苟》

聞而審，則爲福
——戰國·呂不韋《呂氏春秋·察傳》

智欲圓，行欲方
——漢·劉安《淮南子》

聰者聽於無聲
——漢·司馬遷《史記·淮南衡山列傳》

大行不顧細謹
——漢·司馬遷《史記·項羽本紀》

交絶不出惡聲
——漢·劉向《戰國策·燕策》

誠無垢，思無辱
——漢·劉向《説苑·敬慎》

知莫大於闕疑

——漢·劉向《説苑·説叢》

有志者，事竟成

——六朝·范曄《後漢書·耿弇傳》

千里井，不反唾

——唐·蘇鶚《蘇氏演義》卷下

出淤泥而不染

——宋·周敦頤《愛蓮説》

爲學須先立志

——宋·朱熹《朱子語類》

伏久者飛必高

——明·洪應明《菜根譚》

輕則失本，躁則失君

——《老子·道德經第二十七章》

聖人去甚，去奢，去泰

——《老子·道德經第二十九章》

知人者智，自知者明

——《老子·道德經第三十三章》

不精不誠，不能動人

——《莊子·漁夫》

己所不欲，勿施於人

——《論語·顔淵》

貧而無諂，富而無驕

——《論語·學而》

臨大節而不可奪也
——《論語·泰伯》

文質彬彬，然後君子
——《論語·雍也》

我善養吾浩然之氣
——《孟子·公孫丑上》

邪穢在身，怨之所構
——《荀子·勸學》

言不過辭，動不過則
——《禮記·哀公》

二人同心，其利斷金
——《周易·繫辭上》

不矜細行，終累大德
——《書經·旅獒》

枳句來巢，空穴來風
——楚·宋玉《風賦》

清虛澹泊，歸之自然
——漢·班固《漢書·叙傳》

食其實者，不折其枝
——漢·劉安《淮南子·説林訓》

鑒明者，塵垢弗能薶
——漢·劉安《淮南子·俶真訓》

大恩不報，大功不還
——漢·趙曄《吴越春秋》

容止端嚴，學問通覽
——《風俗通·十反》

勢利之交，難以經遠
——《諸葛亮集·論交》

大，積一所以至億也
——晋·葛洪《抱朴子·内篇》

慈如河海，孝如涓塵
——六朝·梁武帝《孝思賦序》

窮當益堅，老當益壯
——六朝·范曄《後漢書·馬援傳》

氣蘊風雲，身負日月
——六朝·沈約《齊故安陸昭王碑文》

壯思風飛，逸情雲上
——六朝·謝朓《七夕賦》

握錐投斧，照雪聚螢
——《顔氏家訓·勉學》

形居塵俗，心棲天外
——《晋書·李龔傳》

志尚夷簡，淡於榮利
——唐·李延壽《北史·韋夐傳》

忍之須臾，乃全汝軀
——《意林·書鋒》

大勇若怯，大智若愚
——宋·蘇軾《賀歐陽修致仕啓》

心可逸，形不可不勞
——宋·林逋《省心録》

智若禹湯，不如常耕
——清·翟灝《通俗編》

不積跬步，無以致千里
——《荀子·勸學》

君子役物，小人役於物
——《荀子·修身》

燕雀安知鴻鵠之志哉
——漢·司馬遷《史記·陳涉世家》

歸貞反璞，則終身不辱
——漢·劉向《戰國策·齊策》

清心而寡欲，人之壽矣
——宋·崔敦禮《芻言》

君子坦蕩蕩，小人長戚戚
——《論語·述而》

君子求諸己，小人求諸人
——《論語·衛靈公》

歲寒，然後知松柏後凋也
——《論語·子罕》

木受繩則直，金就礪則利
——《荀子·勸學》

見微以知萌，見端以知末
——《韓非子·説林上》

投我以木瓜，報之以瓊琚

——《詩經·衛風·木瓜》

君子以言有物，而行有恒

——《周易·家人卦》

臨淵羨魚，不如退而結網

——漢·班固《漢書·董仲舒傳》

比翼交頸游，千載不相離

——《古樂府·長樂行》

少壯不努力，老大徒傷悲

——《漢樂府·長歌行》

士別三日即更刮目相待

——晋·陳壽《三國志·吴書》

多聞而體要，博學而善擇

——晋·葛洪《抱朴子·内篇·微旨》

嶢嶢者易缺，皎皎者易污

——六朝·范曄《後漢書·黄瓊傳》

積財萬貫，不如薄技在身

——《顔氏家訓·勉學》

盡美固可揚，片善亦不遏

——唐·孟郊《投所知》

莫道桑榆晚，爲霞尚滿天

——唐·劉禹錫《酬樂天咏老見示》

君子用人如器，各取所長

——唐·李世民《貞觀政要》

世有伯樂，然後有千里馬

——唐·韓愈《馬說》

楚水清若空，遥將碧海通

——唐·李白《江夏別宋之悌》

立志言爲本，修身行乃先

——唐·吴叔達《言行相顧》

放蕩功不遂，滿盈身必灾

——宋·張咏《勸學篇》

寧向直中取，不向曲中求

——《增廣賢文》

錢財如糞土，仁義值千金

——《增廣賢文》

持身不可輕，用意不可重

——明·洪應明《菜根譚》

將飛者翼伏，將奮者足跼

——《古詩源·古諺古語》

見善如不及，見不善如探湯

——《論語·季氏》

尊賢而容衆，嘉善而矜不能

——《論語·子張》

非誠心款契，不足以結師友

——晋·葛洪《抱朴子·内篇·微旨》

以細行律身，不以細行取人

——清·魏源《默觚下》

君子泰而不驕，小人驕而不泰

——《論語·子路》

救寒莫如重裘，止謗莫如自修

——晉·陳壽《三國志·魏書》

寧可正而不足，不可邪而有餘

——《增廣賢文》

見賢思齊焉，見不賢而內自省也

——《論語·里仁》

三軍可奪帥也，匹夫不可奪志也

——《論語·子罕》

志不强者智不達，言不信者行不果

——《墨子·修身》

忠言逆耳利於行，良藥苦口利於病

——漢·司馬遷《史記·留侯世家》

少年心事當拏雲，誰念幽寒坐嗚呃

——唐·李賀《致酒行》

先天下之憂而憂，後天下之樂而樂

——宋·范仲淹《岳陽樓記》

一忍可以支百勇，一静可以制百動

——宋·蘇洵《心術》

不要人夸顔色好，只留清氣滿乾坤

——元·王冕《梅花》

千磨萬擊還堅勁，任爾東西南北風

——清·鄭燮《竹石》

剛柔克而性不畸，敬義立而德不孤

——清·魏源《默觚上》

處其厚，不居其薄；處其實，不居其華

——《老子·道德經第三十八章》

富貴不能淫，貧賤不能移，威武不能屈

——《孟子·滕文公下》

老驥伏櫪，志在千里。烈士暮年，壯心不已

——三國·魏·曹操《步出夏門行·龜雖壽》

貴而不驕，勝而不悖，賢而能下，剛而能忍

——晋·陳壽《諸葛亮集·將材》

喜不應喜無喜之事，怒不應怒無怒之物

——晋·陳壽《諸葛亮集·喜怒》

不患無位，患所以立；不患莫己知，求爲可知也

——《論語·里仁》

見賢若不及，從諫如順流，寬而能剛，勇而多計

——晋·陳壽《諸葛亮集·將材》

翠微僧至，衲衣全染松雲；斗室經殘，石磬半沉蕉雨

——明·屠隆《娑羅館清言》

茶熟香清，有客到門可喜；鳥啼花落，無人亦是悠然

——明·屠隆《娑羅館清言》

勿以身貴而賤人，勿以獨見而違衆，勿恃功能而失信

——晉·陳壽《諸葛亮集·出師》

三人行，必有我師焉。擇其善者而從之，其不善者而改之

——《論語·述而》

古之立大志者，不惟有超世之才，亦必有堅韌不拔之志

——宋·蘇軾《晁錯論》

品茶一人得神，二人得趣，三人得味，七八人是名施茶

——明·陳繼儒《巖棲幽事》

居山有四法：樹無行次，石無位置，屋無宏肆，心無機事

——明·陳繼儒《巖棲幽事》

攻人之過勿太嚴，要思其堪受；教人以善勿過高，要令其可從

——清·李惺《西漚外集·藥言剩稿》

不自見，故明；不自是，故彰；不自伐，故有功；不自矜，故長

——《老子·道德經第二十二章》

君子易知而難狎，易懼而難脅，畏

患而不避義死，欲利而不爲所非

——《荀子·不苟》

杏花疏雨，楊柳輕風，興到欣然獨往；村落浮烟，沙汀印月，歌殘條爾言旋

——明·李鼎《偶談》

春雲宜山，夏雲宜樹，秋雲宜水，冬雲宜野。着眼總是浮游，觀化頗領幻趣

——明·吴從先《小窗自紀》

春衣杜陵，急管平樂，真稱名士之風流；雨中山果，燈下草蟲，想見高人之胸次

——明·屠隆《娑羅館清言》

居處必先精勤，乃能閑暇，凡事務求停妥，然後逍遥。平時只自悠然，遇境未免擾亂

——明·屠隆《娑羅館清言》

竹風一陣，飄颺茶竈；疏烟梅月，半彎掩抑。書窗殘雪，真使人心骨俱冷，體氣欲仙

——明·屠隆《娑羅館清言》

益者三友，損者三友。友直，友諒，友多聞，益矣。友便辟，友善柔，友便佞，損矣

——《論語·季氏》

天下有大勇者，卒然臨之而不驚，無故加之而不怒，此其所挾持者甚

大，而其志甚遠也

——宋·蘇軾《留侯論》

人有欲則計會亂，計會亂而有欲甚，有欲甚則邪心勝，邪心勝則事經絕，事經絕則禍難生

——《韓非子·解老》

盡小者大，慎微者著；積善在身，猶長日加益而人不知也；積惡在身，猶火銷膏而人不見也

——宋·司馬光《資治通鑒》

楊柳岸，蘆葦汀，池邊須有野鳥，方稱山居。香積飯，水田衣，齋頭才著比丘，便成幽趣

——明·屠隆《婆羅館清言》

夫服人之心，高上尊貴不以驕人，聰明聖知不以幽人，勇猛强武不以侵人，齊給便捷不以欺誣人

——漢·韓嬰《韓詩外傳》

君子有九思：視思明，聽思聰，色思温，貌思恭，言思忠，事思敬，疑思問，忿思難，見得思義

——《論語·季氏》

無竹令人俗，多竹令人野。一徑數竿，亭亭如畫，要似倪雲林羅羅清疏，莫比吴仲圭叢叢烟雨

——明·吴從先《小窗自紀》

水色澄鮮，魚排荇而徑度；林光澹蕩，鳥拂閣以低飛。曲徑烟深，路接

杏花酒舍，澄江日落，門通楊柳漁家

——明·屠隆《娑羅館清言》

顏魯公座位帖，古色在筆墨之外；米南宮天馬賦，新意在筆墨之內。二帖合看，可得形神之全，生熟之法

——明·吴從先《小窗自紀》

治身養性，務謹其細，不可以小益爲不平而不修，不可以小損爲無傷而不防。凡聚小所以就大，積一所以至億也

——晉·葛洪《抱朴子·内篇》

人以言媚人者，但欲人之悦己，而不知人之輕己；人以言自誇者，但欲人之羡己，而不知人之笑己。輕而且笑，辱莫甚焉

——清·李惺《西漚外集·藥言剩稿》

黄山谷常云：士大夫三日不讀書，自覺語言無味，對鏡亦面目可憎。米元章亦云：一日不讀書，便覺思澀。想古人未嘗片時廢書也

——明·陳繼儒《巖棲幽事》

古云鶴笠鷺蓑，鹿裘鵲冠，魚枕杯，猿臂笛，與夫畫圖之屋廬，詩意之山水，皆可遇而不可求，即可求而不可常。余唯紙窗竹屋，夏葛冬裘，飯後黑甜，日中白醉

——明·陳繼儒《巖棲幽事》

有兒事足，一把茅遮屋。若使薄田耕不熟，添個新生黃犢。閑來也教兒孫，讀書不爲功名。種竹澆花釀酒，世家閉户先生。右調《清平樂》，余醉中書付兒曹，以爲家券

——明・陳繼儒《巖棲幽事》

三月茶筍初肥，梅風未困；九月蒓鱸正美，秫酒新香。勝客晴窗，出古人法書名畫，焚香評賞，無過此事。門生包鳴甫云：『淳化帖，蒼頡字，尚帶卦體。』此言得字之本

——明・陳繼儒《巖棲幽事》

口中不設雌黃，眉端不掛煩惱，可稱烟火神仙；隨宜而栽花竹，適性以養禽魚，此是山林經濟。風晨月夕，客去後，蒲團可以雙跏；烟島雲林，興來時，竹杖何妨獨往

——明・屠隆《娑羅館清言》

香令人幽，酒令人遠，石令人雋，琴令人寂，茶令人爽，竹令人冷，月令人孤，棋令人閑，杖令人輕，水令人空，雪令人曠，劍令人悲，蒲團令人枯，美人令人憐，僧令人淡，花令人韻，金石彝鼎令人古

——明・屠隆《娑羅館清言》

瓶花置案頭，亦各有相宜者。梅芬傲雪，偏繞吟魂；杏蕊嬌春，最憐妝鏡；梨花帶雨，青閨斷腸；荷氣臨風，紅顔露齒；海棠桃李，争艷綺席；牡丹芍藥，乍迎歌扇；芳桂

一枝，足開笑語；幽蘭盈把，堪贈仳儺。以此引類連情，境趣多合

——明·陳繼儒《巖棲幽事》

治學功業

教學相長

——《禮記·學記》

博聞强識

——《禮記·曲禮》

格物致知

——《禮記·大學》

温故知新

——《論語·爲政》

敏而好學

——《論語·公冶長》

見賢思齊

——《論語·里仁》

民齊者强

——《荀子·議兵》

革故鼎新

——《周易·雜卦》

上兵伐謀

——《孫子兵法·謀攻篇》

實事求是

——漢·班固《漢書·河間獻王傳》

集思廣益

——三國·蜀·諸葛亮《教與軍師長史參軍掾屬》

聞鷄起舞

——《晋書·祖逖傳》

厚積薄發

——宋·蘇東坡《雜説送張琥》

開卷有益

——宋·王辟之《澠水燕談録》

學不可以已

——《荀子·勸學》

志當存高遠

——三國·蜀·諸葛亮《誡外甥書》

倚馬見雄筆

——唐·高適《送蹇秀才赴臨光朓》

書無百日工

——唐·徐浩《法書要録》

聖人無常師

——唐·韓愈《師説》

學古不泥古

——五代·劉昫《舊唐書·孫思邈傳》

博學而約取

——宋·蘇軾《與張嘉父七首》

工夫在詩外

——宋·陸游《示子遹》

藝高人膽大

——明·戚繼光《紀效新書·束伍篇》

功到自然成

——明·吴承恩《西游記》

言必信，行必果

——《論語·子路》

尚賢爲政之本

——《墨子·尚賢中》

上下同欲者勝

——《孫子兵法·謀攻》

百聞不如一見

——漢·班固《漢書·趙充國傳》

前車覆，後車戒

——漢·班固《漢書·賈誼傳》

有志者事竟成

——六朝·范曄《後漢書·耿弇傳》

公生明，廉生威

——清·李惺《西漚外集·冰言補》

聽其言而觀其行

——《論語·公冶長》

引而不發，躍如也
——《孟子·盡心上》

轉益多師是汝師
——唐·杜甫《戲爲六絶句之六》

腹有詩書氣自華
——宋·蘇軾《和董傳留别》

爲學大病在好名
——明·王守仁《傳習録》

師其意，不泥其迹
——明·戚繼光《練兵紀要·練將》

大方無隅，大器晚成
——《老子·道德經第四十一章》

九層之臺，起於纍土
——《老子·道德經第六十四章》

知者不博，博者不知
——《老子·道德經第八十一章》

用志不分，乃凝於神
——《莊子·達生》

功成之美，無一其迹
——《莊子·漁父》

褚小者，不可以懷大
——《莊子·至樂》

多見闕殆，慎行其餘
——《論語·爲政》

毋意，毋必，毋固，毋我
——《論語·子罕》

樹成陰而衆鳥棲焉
——《荀子·勸學》

鍥而不捨，金石可鏤
——《荀子·勸學篇》

天不爲一，物枉其時
——《管子·白心》

好學不倦，好禮不變
——《禮記·射儀》

成性存存，道義之門
——《周易·繫辭上》

天地絪縕，萬物化醇
——《周易·繫辭下》

雲行雨施，品物流形
——《周易·上經》

易勤而巽，日進無疆
——《周易·下經》

知彼知己，百戰不殆
——《孫子兵法·謀攻篇》

高山仰止，景行行止
——《詩經·小雅·車轄》

青青子衿，悠悠我心
——《詩經·鄭風·子衿》

它山之石，可以攻玉

——《詩經·小雅·鶴鳴》

民生在勤，勤則不匱

——《左傳·宣公十二年》

吞舟之魚，不游枝流

——《列子·楊朱》

星星之火，可以燎原

——《尚書·盤庚上》

從善如登，從惡如崩

——《國語·周語三》

繩鋸木斷，水滴石穿

——《通俗編·地理》

向上一路，千聖不傳

——《傳燈録·七》

疑事無功，疑行無名

——漢·劉向《戰國策·趙策》

人生在勤，不索何獲

——漢·張衡《應閑》

當斷不斷，反受其亂

——漢·司馬遷《史記·春申君列傳》

桃李無言，下自成蹊

——漢·司馬遷《史記·李將軍列傳》

恃德者昌，恃力者亡

——漢·司馬遷《史記·商君列傳》

得人者興，失人者崩

——漢·司馬遷《史記·商君列傳》

斷而敢行，鬼神避之

——漢·司馬遷《史記·李斯傳》

博覽多聞，學問習熟

——漢·王充《論衡·超奇》

不覽古今，論事不實

——漢·王充《論衡·別道篇》

白日曬光，幽隱皆照

——漢·班固《漢書·中山靖王傳》

老驥伏櫪，志在千里

——三國·魏·曹操《步出夏門行·龜雖壽》

静以修身，儉以養德

——三國·蜀·諸葛亮《誡子書》

山不讓塵，川不辭盈

——晉·張華《勵志詩》

不入虎穴，焉得虎子

——六朝·范曄《後漢書·班超傳》

事迹易見，理相難尋

——六朝·梁武帝《逸民》

心術既形，英華乃贍

——南朝·劉勰《文心雕龍·情采》

讀書百遍，而義自見

——南朝·裴松之《三國志·注》

諸惡莫作，衆善奉行

——唐·《道林禪師答白居易》

山積而高，澤積而長

——唐·劉禹錫《唐故監察御史贈尚書右仆射王公神道碑銘》

兼聽則明，偏聽則暗

——《新唐書·魏徵傳》

積學於已，以待用也

——宋·程頤《爲家君作試漢州學策問之三》

當官力争，不爲面從

——宋·司馬光《資治通鑒》

能勤小物，故無大患

——宋·司馬光《資治通鑒》

山鳴谷應，風起水涌

——宋·蘇軾《後赤壁賦》

言過其實，不可大用

——明·羅貫中《三國演義》

行必履正，無懷僥幸

——《古詩源·書履》

青，取之於藍，而青於藍

——《荀子·勸學》

慎始而敬終，終以不困

——《左傳·襄公二十五年》

前事之不忘，後事之師

——漢·劉向《戰國策·趙策》

學而不思，則疑閡實繁

——晉·葛洪《抱朴子·外篇》

温故而知新，可以爲師矣

——《論語·爲政》

不以言舉人，不以人廢言

——《論語·衛靈公》

吾生也有涯，而知也無涯

——《莊子·養生主》

君子淡以親，小人甘以絶

——《莊子·山木》

務言而緩行，雖辯必不聽

——《墨子·修身》

天行健，君子以自强不息

——《周易·象辭上》

知周乎萬物而道濟天下

——《周易·繫辭上》

君子藏器於身，待時而動

——《周易·繫辭下》

天道有遷移，人理無常全

——《樂府·塘上行》

獨照之匠，窺意象而運斤

——六朝·劉勰《文心雕龍》

欲窮千里目，更上一層樓

——唐·王之渙《登鸛鵲樓》

讀書破萬卷，下筆如有神

——唐·杜甫《奉贈韋左丞丈二十二韻》

循序而漸進，熟讀而精思

——宋·朱熹《讀書之要》

早知燈是火，飯熟已多時

——《無門關·趙州洗鉢》

知者行之始，行者知之成

——明·王守仁《傳習録》

讀有字書，卻要識没字理

——明·鹿善繼《四書説約》

以暴易暴兮，不知其非矣

——《古詩源·采薇歌》

得之在俄頃，積之在平日

——清·袁守定《占畢叢談·談文》

有言者自爲名，有事者自爲形

——《韓非子·主道》

天下同歸而殊涂，一致而百慮

——《周易·繫辭下》

玉不琢，不成器；人不學，不知道

——《禮記·學記》

衆惡之，必察焉；衆好之，必察焉

——《論語·衛靈公》

居安思危，思則有備，有備無患

——《左傳·襄公十一年》

事有易成者名小，難成者功大

——漢·劉安《淮南子·修務訓》

文章須自出機杼，成一家風骨

——《魏書·祖瑩傳》

舉一綱，萬目張；馳一機，萬事隳

——隋·王通《中説》

學者貴於行之，而不貴於知之

——宋·司馬光《答孔文仲司户書》

思慮熟則得事理，得事理則必成功

——《韓非子·解老》

善出奇者，無窮如天地，不竭如江河

——《孫子兵法·勢篇》

路漫漫其修遠兮，吾將上下而求索

——戰國·屈原《離騷》

業精於勤，荒於嬉；行成於思，毁於隨

——唐·韓愈《進學解》

千淘萬漉雖辛苦，吹盡寒沙始到金

——唐·劉禹錫《浪淘沙》

玉經琢磨多成器，劍拔沉埋便倚天

——五代・王定保《唐摭言・卷三》

德均則衆者勝寡，力侔則安者制危

——宋・司馬光《資治通鑒》

舊書不厭百回讀，熟讀深思子自知

——宋・蘇軾《送安惇秀才失解西川歸》

紙上得來終覺淺，絶知此事要躬行

——宋・陸游《冬夜讀書示子聿八首之三》

常將有日思無日，莫待無時想有時

——明・張居正《張太岳文集》

世事洞明皆學問，人情練達即文章

——清・曹雪芹《紅樓夢》

大哉至誠之德，配與天地而德澤萬物

——洪川・禪語

天下難事必作於易，天下大事必作於細

——《老子・道德經第六十三章》

乘天地之正，而御六氣之辨，以游無窮

——《莊子・內篇逍遙游》

安而不忘危，存而不忘亡，治而不忘亂

——《周易・繫辭上》

究天人之際，通古今之變，成一家之言

——漢·司馬遷《報任安書》

爲政以德，譬若北辰，居其所而衆星拱之

——《論語·爲政》

積土成山，風雨興焉；積水成淵，蛟龍生焉

——《荀子·勸學》

蓬生麻中，不扶自直；白沙在涅，與之俱黑

——《荀子·勸學》

鍥而捨之，朽木不折；鍥而不捨，金石可鏤

——《荀子·勸學》

騏驥一躍，不能十步；駑馬十駕，功在不捨

——《荀子·勸學》

日中則昃，月盛則食，天地盈虛，與時消息

——《周易·下經》

任人之長，不强其短；任人之工，不强其拙

——《晏子春秋·内篇》

螳螂捕蟬，志在有利，不知黄雀在後啄之

——漢·趙曄《吴越春秋》

論大功者不録小過，舉大善者不疵細瑕

——漢·班固《漢書·陳湯傳》

矩不正，不可以爲方；規不正，不可以爲圓

——漢·劉安《淮南子·詮言篇》

盈縮之期，不但在天；養怡之福，可得永年

——三國·魏·曹操《步出夏門行·龜雖壽》

山不讓塵，川不辭盈。勉致含弘，以隆德聲

——晋·張華《勵志詩》

連城之璧，瘗影荆山；夜光之珠，潛光郁浦

——六朝·劉晝《劉子·薦賢》

君子博學而三省乎己，則知明而行無過矣

——《荀子·勸學》

大器者，直要不受人惑，隨處做主，立處皆真

——《臨濟録》

大塊噫氣，其名爲風。是惟無作，作則萬竅怒號

——《莊子·齊物論》

不積跬步，無以至千里；不積小

流，無以成江海

——《荀子·勸學》

君子與其練達，不若樸魯；與其曲謹，不若疏狂

——明·洪應明《菜根譚》

不登高山，不知天之高也；不臨深溪，不知地之厚也

——《荀子·勸學》

樂民之樂者，民亦樂其樂；憂民之憂者，民亦憂其憂

——《孟子·梁惠王下》

道不可致，德不可至。仁可爲也，義可虧也，禮相僞也

求木之長者，必固其根本；欲流之遠者，必浚其泉源

——《莊子·知北游》

——唐·魏徵《諫太宗十思疏》

朽索充羈，不收奔馬之逸；輕緡振網，或隨吞舟之勢

——唐·王勃《上劉右相書》

思所以危則安矣，思所以亂則治矣，思所以亡則存矣

——《唐書·魏徵傳》

天下之事，慮之貴祥，行之貴力，謀在於衆，斷之在獨

——明·張居正《陳六事疏》

君子之學，博於外而尤貴精於內；論諸理而尤貴達於事

——明·王廷相《慎言·潛心》

三人行，必有我師焉。擇其善者而從之，其不善者而改之

——《論語·述而》

無冥冥之志者，無昭昭之明；無惛惛之事者，無赫赫之功

——《荀子·勸學》

君子惠而不費，勞而不怨，欲而不貪，泰而不驕，威而不猛

——《論語·堯曰》

芳蘭之芬烈者，清風之功也；屈士起於丘園者，知己之助也

——晋·葛洪《抱朴子·交際》

凡諸藝業未有學而不得者也，病在心力懈怠，不能專精耳

——唐·李世民

不聞不若聞之，聞之不若見之，見之不若知之，知之不若行之

——《荀子·儒效》

用人之術，任之必專，信之必篤，然後能盡其材，而可共成事

——宋·歐陽修《爲君難論上》

聚古今之議論，以生我之議論；取天下之聰明，以生我之聰明

——明·方中通《陪集》

得道者多助，失道者寡助。寡助之至，親戚畔之；多助之至，天下順之

——《孟子・公孫丑下》

日就月將，學有緝熙於光明，是故凡欲顯勛績揚光烈者，莫良於學矣

——漢・王符《潛夫論・贊學》

苟足其性，則雖大鵬無以自貴於小鳥，小鳥無羨於天池，而榮願有餘矣

——宋・郭象《莊子注・逍遥游》

境遇休怨我不如人，不如我者尚衆；學問休言我勝於人，勝於我者還多

——清・李惺《西漚外集・藥言剩稿》

夫大人者，與天地合其德，與日月合其明，與四時合其序，與鬼神合其吉凶

——《周易・上經》

建大功於天下者，必先修於閨門之内；垂大名於萬世者，必先行之於纖微之事

——漢・陸賈《新語・慎微》

事有大小，有先後。察其小，忽其大，先其所後，後其所先，皆不可以適治

——宋・程顥《論王霸札子》

水至平而邪者取法，鑒至明而惡者忘怒；水、鑒之所以能窮物而無怨者，以其無私也

——宋・司馬光《資治通鑒》

治天下者，必先立其志。正志先立，則邪説不能移，异端不能惑。故力進於道而莫之御也

——宋・程顥《論王霸札子》

書富如入海，百貨皆有。人之精力，不能兼收盡取，但得其所欲求者爾。故願學者每次作一意求之

——宋・蘇軾《東坡文集事略》

制大物必用大器，故學之者，當心期於大，必先有一段海闊天空之見存於有迹之内而求於無迹之先

——清・布顔圖《畫學心法問答》

雖有憂勤之心，而不知致治之要，則心愈勞而事愈乖；雖有納諫之明，而無力行之果斷，則言愈多而聽愈惑

——宋・歐陽修《准詔言事上書》

主静則悠遠博厚，自强則堅實精明，操存則氣血循軌而不亂，收斂則精神内守而不浮，是勤可以致壽考也

——宋・羅大經《鶴林玉露》

不知則問，不能則學，雖能不讓，然後爲德。聞之不見，雖博必謬；

見之而不知，雖識必妄；知之而不行，雖敦必困

——《荀子·非十二子》

天地有大美而不言，四時有明法而不議，萬物有成理而不說。聖人者，原天地之美而達萬物之理。是故至人無爲，大聖不作

——《莊子·知北游》

大家之作，其言情也，必沁人心脾；其寫景也，必豁人耳目；其辭脱口而出，無矯揉妝束之態。以其所見者真，所知者深也

——清·王國維《人間詞話》

天下事有難易乎？爲之，則難者亦易矣；不爲，則易者亦難矣。人之學問有難易乎？學之，則難者亦易矣；不學，則易者亦難矣

——清·彭端淑《爲學一首示子侄》

博學之，審問之，慎思之，明辨之，篤行之。有弗學，學之弗能，弗措也；有弗問，問之弗知，弗措也；有弗思，思之弗得，弗措也；有弗辨，辨之弗明，弗措也；有弗行，行之弗篤，弗措也。人一能之，己百之；人十能之，己千之。果能此道矣，雖愚必明，雖柔必强

——《禮記·中庸》

古今之成大事業、大學問者，必經過三種之境界：『昨夜西風凋碧

樹；獨上西樓，望盡天涯路』，此第一境也；『衣帶漸寬終不悔，爲伊消得人憔悴』，此第二境也；『衆裏尋他千百度，驀然回首，那人卻在燈火闌珊處』，此第三境也

——清·王國維《人間詞話》

哲理人生

大直若屈

——《老子·道德經第四十五章》

大巧若拙

——《老子·道德經第四十五章》

大器晚成

——《老子·道德經第四十二章》

法貫天真

——《莊子·漁父》

好問則裕

——《尚書·湯誥》

明德惟馨

——《尚書·君陳》

自勝爲強

——《韓非子·喻老》

鴻朗高暢

——漢·王充《論衡·氣壽》

智圓行方

——漢·劉安《淮南子·主術訓》

源遠流長
——唐·白居易《海州刺史裴君夫人李氏墓志銘》

月白風清
——宋·蘇軾《後赤壁賦》

自矜者不長
——《老子·道德經第二十四章》

惟善以爲寶
——《禮記·大學》

知耻近乎勇
——《禮記·中庸》

有德不可敵
——《左傳·僖公二十八年》

後來者居上
——漢·司馬遷《史記·汲鄭列傳》

静中觀物化
——宋·陳必復《山中書事》

敗棋有勝着
——明·楊慎《病榻手吹》

禍不從慎家之門
——唐·王勃《王子安集》

山雨欲來風滿樓
——唐·許渾《咸陽城東樓》

野芳雖晚不須嗟
——宋·歐陽修《戲答元珍》

有無相生，難易相成
——《老子·道德經第二章》

自知者明，自勝者强
——《老子·道德經第三十三章》

大方無隅，大器晚成
——《老子·道德經第四十一章》

大音稀聲，大象無形
——《老子·道德經第四十一章》

合抱之木，生於毫末
——《老子·道德經第六十四章》

千里之行，始於足下
——《老子·道德經第六十四章》

九層之臺，起於壘土
——《老子·道德經第六十四章》

信言不美，美言不信
——《老子·道德經第八十一章》

吞舟之魚，不游枝流
——《列子·楊朱》

一手獨拍，雖疾無聲
——《韓非子·功名》

周流六虚，唯變所適
——《周易·繫辭下》

野無遺賢，萬邦咸寧
——《尚書·大禹謨》

流水不腐，户樞不蠹
——戰國·呂不韋《呂氏春秋·盡數》

吹嘔呼吸，吐故納新
——漢·劉安《淮南子·齊俗訓》

得賢則昌，失賢則亡
——漢·韓嬰《韓詩外傳》

寧爲鷄口，無爲牛後
——漢·劉向《戰國策·韓策》

日中則移，月滿則虧
——漢·劉向《戰國策·秦策》

多見者博，多聞者智
——漢·桓寬《鹽鐵論》

後生可畏，來者難誣
——三國·魏·曹丕《與吳質書》

惟同大觀，萬途一轍
——晋·盧諶《贈劉琨》

成人在始，纍微以著
——晋·張華《勵志詩》

瞻山識璞，臨川知珠
——晋·葛洪《抱朴子·外篇》

管中窺豹，時見一斑

——《晋史·王獻之傳》

變則其久，通則不乏

——六朝·劉勰《文心雕龍》

聖人不以獨見爲明

——六朝·范曄《後漢書·申屠剛傳》

明者慎微，智者識機

——六朝·范曄《後漢書·陳忠列傳》

且要自信，莫向外覓

——《臨濟録》

應物現形，若水中月

——《臨濟録》

覓著轉遠，求之轉乖

——《臨濟録》

動爲道樞，靜爲心符

——唐·白居易《求玄珠賦》

國無常俗，教則移風

——唐·白居易《策林二》

物極則反，器滿則傾

——唐·蘇安恒《上武后疏》

一念忘機，太虛無玷

——《五燈會元》

白雲爲蓋，流泉作琴

——《碧巖録》

大道無門，千差有路

——《無門關》

當局稱迷，旁觀必審

——《新唐書·元行冲傳》

涓涓不塞，將爲江河

——《古詩源·太公兵法》

高峻無木，湍急無魚

——明·洪應明《菜根譚》

不經一事，不長一智

——清·曹雪芹《紅樓夢》

志密行密，功深悟深

——《禪僧言行録》

苟日新，日日新，又日新

——《禮記·大學》

窮則變，變則通，通則久

——《周易·繫辭下》

禍兮福所倚，福兮禍所伏

——《老子·道德經第五十八章》

會當凌絶頂，一覽衆山小

——唐·杜甫《望岳》

經事還諳事，閲人如閲川

——唐·劉禹錫《酬樂天咏老見示》

觀今宜鑒古，無古不成今

——《增廣賢文》

近水知魚性，近山識鳥音

——《增廣賢文》

有磨皆好事，無曲不文星

——清·袁枚《隨園詩話》

智者之所短，不如愚者之所長

——漢·陸賈《新語·輔政》

操千曲而知音，觀千劍而識器

——南朝·劉勰《文心雕龍》

沉舟側畔千帆過，病樹前頭萬木春

——唐·劉禹錫《酬樂天揚州初逢席上見贈》

不畏浮雲遮望眼，只緣身在最高層

——宋·王安石《登飛來峰》

禍患常積於忽微，而智勇多困於所溺

——宋·歐陽修《五代史·伶官傳序》

智者千慮，必有一失；愚者千慮，必有一得

——漢·司馬遷《史記·淮陰侯列傳》

元日明窗焚香，西北向吾友，其永懷可知。展《文皇》《大令》閱，不及他書。臨寫數本不成，信真者在前，氣焰懾人也。有暇作譜，發一笑於事外。新歲勿招口業，佳。別有何得，泗戎東下未，已有書至彼，俟之

——宋·米芾《元日帖》

寒山問曰：世間有人打我罵我，辱我欺我，嚇我騙我，謗我輕我，凌虐我，非笑我，以及不堪我，如何處治乎？

拾得答曰：只是忍他敬他，畏他避他，讓他，一味由他，不要理他，謙遜他，莫睬他，再假以時日，你且再看他

——《禪説》

吉語

民和年豐

——《左傳·桓公六年》

鸞鳳和鳴

——《左傳·莊公二十二年》

五世其昌

——《左傳·莊公二十二年》

德厚流光

——《春秋·穀梁傳·僖公十五年》

春酒介壽

——《詩經·豳風·七月》

鳳鳴朝陽
——《詩經・大雅・卷阿》

鶴鳴九皋
——《詩經・小雅・鶴鳴》

萬福攸同
——《詩經・小雅・采菽》

美意延年
——《荀子・致士》

鳳鳴高崗
——《樂府》

春和駘蕩
——《古樂府》

榮曜秋菊
——三國・魏・曹植《洛神賦》

華茂春松
——三國・魏・曹植《洛神賦》

氣若幽蘭
——三國・魏・曹植《洛神賦》

惠風和暢
——晉・王羲之《蘭亭序》

群賢畢至
——晉・王羲之《蘭亭序》

朗心獨見
——晉・袁宏《三國名臣贊序》

清義幽頤　——晋·盧諶《答魏子悌》

思逐風雲　——六朝·沈約《傷謝朓》

風篁成韵　——六朝·謝莊《月賦》

麗景流精　——六朝·鄭道昭《東堪石室銘》

風神高邁　——《晋書·裴楷傳》

神融筆暢　——唐·孫過庭《書譜》

風規自遠　——唐·孫過庭《書譜》

翰逸神飛　——唐·孫過庭《書譜》

福慧雙修　——唐·慧立《大慈恩寺三藏法師傳》

嘉言懿行　——宋·劉克莊《後村全集·一六八》

皓月千里　——宋·范仲淹《岳陽樓記》

春和景明　——宋·范仲淹《岳陽樓記》

政通人和

——宋・范仲淹《岳陽樓記》

惇德秉義

——宋・蘇軾《祭歐陽文忠公文》

錦綉前程

——元・賈仲名《對玉梳》

鵬程萬里

——元・柯丹邱《荆釵記》

霜華净碧空

——唐・李世民《秋暮言志》

座右銘

無道人之短，無説己之長。施人慎勿念，受施慎勿忘。世譽不足慕，唯仁爲紀綱。隱心而後動，謗議庸何傷？無使名過實，守愚聖所臧。在涅貴不緇，曖曖内含光。柔弱生之徒，老氏誡剛强。行行鄙夫志，悠悠故難量。慎言節飲食，知足勝不祥。行之苟有恒，久久自芬芳。

——漢・崔瑗《座右銘》

進退有命，去就有義。仕宦有守，遠耻有禮。翔而後集，色斯舉矣。

——宋・米芾《寶晋英光集》

凡語必忠信，凡行必篤敬。飲食必慎節，字畫必楷正。容貌必端莊，衣冠必肅整，步履必安詳，居處必正靜。

作事必謀始，出言必顧行，常德必固持，然諾必重應。見善如己出，見惡如己病。凡此十四者，我皆未深省。書之當座隅，朝夕視爲警。

——宋·張繹《座右銘》

短不可護，護則終短；長不可矜，矜則不長。尤人不如尤己，好圓不如好方。用晦則天下莫與汝争智，撝謙則天下莫與汝争强。多言者老氏所戒，欲訥者仲尼所臧。妄動有悔，何如静而勿動；太剛則折，何如柔而勿剛。吾見進而不已者敗，未見退而自足者亡。爲善則游君子之域，爲惡則入小人之鄉。吾將書紳帶以自警，刻盤盂而過防。豈如長存於座右，庶夙夜之不忘。

——宋·李至《續座右銘》

吾齋之中，不尚虚禮。不迎客來，不送客去。賓主無間，坐列無序。真率爲約，簡素爲具。有酒且酌，無酒且止。清琴一曲，好香一炷。閑談古今，静玩山水。不言是非，不論官事。行立坐卧，忘形適意。冷淡家風，林泉高致。道義之交，如斯而已。羅列腥膻，周旋布置。内非真誠，俯仰奔趨，揖讓跪拜。外徒矯僞。一關利害，反目相視。此世俗交，吾斯屏棄。

——宋·司馬光《真率銘》

小小房，低低屋，

粗粗衣，稀稀粥。

命該咬菜根，
莫想多食肉。
惟適意，怕甚的，
鬢斑斑，且開懷。
爲甚的，眉蹙蹙，
看『上』雖不如，
比『下』當知足。
日食三餐，
夜眠一宿。
隨意家常，
平安是福。
也不求榮，
也不招辱。
待時守分，
知足寡欲。
有大才必有大用，
有餘德必有餘禄。

樂善存心，
不欺不惑。
時時刻刻浄靈臺，
莫教穢污來昏濁。
算甚麼命，
問甚麼卜。
欺人是禍，
饒人是福。
若依斯言，
神欽鬼服。

——明·文徵明《知福歌》

人生七十古來少，
前除幼年後除老。
中間光景没多時，
又有炎霜與煩惱。
不必中秋月也明，

不必清明花也好。
花前月下且高歌，
急須滿把金樽倒。
世上錢多賺不盡，
朝里官多做不了。
官大錢多心轉憂，
落得自家頭白早。
春夏秋冬捻指間，
鐘送黃昏鷄報曉。
請君細點眼前人，
一年一起埋荒草。
草裏高低多少墳，
清明一半無人掃。

——明·唐寅《一世歌》

我不如人，我無他福。
人不如我，我當知足。
知足不辱，一飯兩粥。
謝天謝地，平安是福。

——明·唐寅《不如歌》

少飲酒，多啜粥。多茹菜，少食肉。
少開口，多閉目。多梳頭，少洗浴。
少群居，多獨宿。多收書，少積玉。
少取名，多忍辱。多行善，少干禄。
便宜勿再往，好事不如無。

——明·陳繼儒《巖棲幽事》

君子養身，莫善於静。静如止水，
静如明鏡。水止乃澄，鏡明斯應。
能明則誠，知止而定。息氣凝神，
收視返聽。厥心惟淵，其言也訒。
好動多凶，或生悔吝。處既寡營，

出亦不競。道有行藏，色無喜愠。庶幾優游，樂天知命。

——清·尤侗《静箴》

君子存心，莫貴乎敬。人皆震動，我獨頻巽。人皆説言，我獨敦良。不覩不聞，恐懼戒慎。不偏不倚，齊莊中正。勿歧二三，勿失尺寸。立不中門，行不由經。履薄臨深，參前倚乘。寧使謙勞，無令怠勝。敬之敬之，克念作聖。

——清·尤侗《尤西堂雜俎》

黎明即起，灑掃庭除，要内外整潔。既昏便息，關鎖門户，必親自檢點。一粥一飯，當思來處不易；半絲半縷，恒念物力維艱。宜未雨而綢繆，毋臨渴而掘井。自奉必須儉約，燕客切勿留連。器具質而潔，瓦缶勝金玉。飲食約而精，園蔬愈珍饈。勿營華屋，勿謀良田。三姑六婆，實淫盜之媒。婢美妾嬌，非閨房之福。奴僕勿用俊美，妻妾切忌艷妝。祖宗雖遠，祭祀不可不誠；子孫雖愚，經書不可不讀。居身務期質樸，訓子要有義方。勿貪意外之財，莫飲過量之酒。與肩挑貿易，毋占便宜；見貧苦親鄰，須加温恤。刻薄成家，理無久享；倫常乖舛，立見消亡。兄弟叔侄，需分多潤寡；長幼内外，宜法肅辭嚴。聽婦言，乖骨肉，豈是丈夫？重貲財，薄父母，不成人子。嫁女擇佳婿，毋索重聘；娶媳求淑女，勿計厚奩。見富貴而生諂容者最可恥，遇貧窮而作驕態者賤莫甚。居家戒爭訟，訟則終凶；處世戒多言，言多必失。勿恃勢力而凌逼孤寡，毋貪口腹而恣殺生禽。乖僻自是，悔誤必多；頹隳自甘，家道難成。狎昵惡少，久必受其累；屈志老成，急則可相依。輕聽發言，安知非人之譖愬，當忍耐三思；因事相爭，焉知非我之不是，需平心暗想。施惠勿念，受恩莫忘。凡事當留餘地，得意不可再往。人有喜慶，不可生妒忌心；人有禍患，不可生喜幸心。善欲人見，不是真善；惡恐人知，便是大惡。見色而起淫心，報在妻女；匿怨而用暗箭，禍延子孫。家門和順，雖饔飧不繼，亦有餘歡；國課早完，即囊橐無餘，自得至樂。讀書志在聖賢，非徒科第；爲官心存君國，豈計身家？守分安命，順時聽天。爲人若此，庶乎近焉。

——清·朱柏廬《朱子治家格言》

卷二 名聯

修身處世

四言

爲善最樂；讀書更佳。
友天下士；讀古人書。
慎爲德首；恕惟行基。
行道有福；與德爲鄰。
樂生於智；壽本乎仁。
即此是學；何處不仙。
讀餘煮茗；琴罷焚香。
琴號珠柱；書名玉杯。
焚香讀易；脱帽看詩。

五言

立德齊今古；藏書教子孫。
承家多舊德；繼代有清風。
慊心皆樂事；容膝即安居。
詩禮襲遺訓；門庭無雜賓。
閉户無塵事；傳家有舊書。
身安茅屋穩；心定菜根香。
守道不封己；擇交如求師。
淡交惟對水；雅意在鳴琴。
適意在山水；談心向友朋。
如願平爲福；自得居之安。
且自親魚鳥；隨人呼馬牛。
功高斯不伐；理定自無争。
千年如在目；萬事要關心。
但見花開落；不言人是非。

道義無今古；功名有是非。

天趣閑中得；心花靜裏開。

畏人成小築；養拙就閑居。

自得山中趣；誰論世上名。

百年庸裏過；萬事醉中休。

直木有恬翼；靜流無躁鱗。

終身爭一息；每事學三思。

有花真富貴；無事小神仙。

室雅何妨小；花香不在多。

空相不生滅；齊物無是非。

江山供指顧；風月助登臨。

樹擁溪邊閣；山浮雨後嵐。

品畫師三李；論書仰二王。

思飄雲物外；詩入畫圖中。

清言宣至理；古意法高文。

筆有千秋業；詩專五字城。

文品清時貴；功名晚節難。

讀書貴有用；樹德莫如滋。

讀書必提要；處事在通經。

硯以靜而壽；詩乃心之聲。

修業勤爲貴；行文古自高。

伴我書千卷；可人花一簾。

文章千古事；花月一簾春。

琴書多古意；水石淡幽居。

吟哦出新意；坦率見真情。

風月暢懷抱；琴書悅性靈。

草生元亮徑；學廣仲舒帷。

著書驚日短；看劍引杯長。

禮樂攻吾短；山林引興長。

詩趣閑中得；人情老更知。

春樹籠烟暖；秋林鎖月寒。

嚼花香滿口；書竹粉黏衣。

搖竹一身雨；摘花滿手香。

地暖花長發；林幽鳥任歌。

溪聲晴亦雨；松影夏如秋。

松篁調餘韻；蘭芷襲幽襟。

風月資吟嘯；烟霞養性情。

野静山氣斂；林疏風露長。

谷鳥驚棋響；庭花奪酒香。

六言

静坐常思己過；閑談莫論人非。

不役世俗之樂；惟求我心所安。

修身莫先寡欲；用意不如平心。

名教自有樂地；詩書是我良田。

道德根於孝悌；清白傳之子孫。

閑居足以養志；至樂莫如讀書。

觀寢興於早晚；識家世之隆衰。

愛子先當訓子；起家應念保家。

有猷有爲有守；希賢希聖希天。

干青雲以直上；障百川而東之。

雅言詩書執禮；益友直諒多聞。

謙卦六爻皆吉；恕字終身可行。

行藏安於所遇；仁義不假外求。

近知近仁近勇；立德立功立言。

每思於物有濟；常愧爲人所容。

俯仰無愧天地；褒貶自有春秋。

意隨流水俱遠；心與白鶴同閑。

窮經將以致用；崇德莫大安身。

養身莫如寡欲；讀書先在虚心。

用筆師鍾太傅；作文如沈尚書。

七言

事能知足心常愜；人到無求品自高。

萬事必求其所以；居心不可有然而。

居安思危介節見；積疑得悟清光來。

行不得反求諸己；躬自厚薄責於人。

諸葛一生惟勤慎；吕端大事不糊涂。

論事人非能行事；無言時勝於有言。

養其氣日益宏大；尊所聞至於高明。

習勤不止能袪欲；聞過則喜自得師。

澤以長流乃及遠；山因直上而成高。

行事莫將天理錯；立身當與古人争。

特立獨行有如此；進德修業須及時。

書有未曾經我讀；事無不可對人言。

居身勿使白圭玷；立志直與青雲齊。

惟大英雄能本色；是真名士自風流。

學於古訓乃有獲；樂夫天命復奚疑。

過如新竹芟難盡；學似春潮漲不高。

居常無喜怒之色；立志以聖賢爲歸。

養成大拙方爲巧；學到如愚纔是賢。

修身豈爲名傳世；做事常思利及人。

立定脚跟撐起脊；展開眼界放平心。

久病始知求藥誤；衰年方悔讀書遲。

養氣不動真豪杰；居心無物轉光明。

純有英華爲國寶；貴無雕琢是天真。

道德光華温潤玉；文章和氣吉祥花。

立脚怕隨流俗轉；留心學到古人難。

人有不爲斯有品；己無所得可無言。

昔之所經極可念；今如不樂請復思。

春酒緑時留客飲；夜燈紅處課兒書。

五倫有樂天所付；數世之利書爲長。

雍容合度方爲禮；姑息存心不是恩。

争端悉泯多因讓；和氣流行自致祥。

長令子孫親有德；自耽詩酒樂平生。

運到盛時須儆省；境當逆處要從容。

貧不賣書留子讀；老猶栽竹與人看。

赤脚聽蛩勤夜織；蒼頭租犢待春耕。

種樹喜培佳子弟；擁書權拜小諸侯。

荆樹有花兄弟樂；硯田無税子孫耕。

入世須才更須節；傳家積德還積書。

常居賢母三遷里；不慕高官萬石家。

鼓鐘於宮聲聞外；藝蘭之室香襲人。
淡飯粗茶有真味；明窗浄几是安居。
量入爲出財恒足；裒多益寡施乃平。
不煩擾斯稱道力；無起滅乃見禪心。
未須百事必如意；且喜六時長見書。
但願此身常自足；不知行路有何難。
使我開懷惟夜月；令人深省是晨鐘。
度似春風常長物；心如秋水不沾塵。
鷹隼入雲睞所向；驊騮得路慎於平。
功業須當垂永久；行藏争不要分明。
人情閱盡浮雲厚；世事經過蜀道平。
事到從容能合度；路當逼側敢依人。
傳家有道惟存厚；處世無奇但率真。
書到用時方恨少；事非經過不知難。
不爲物蔽斯稱哲；只體人情便是仁。
知多世事胸襟闊；閱盡人情眼界寬。
能受苦方爲志士；肯吃虧不是痴人。

一心似水惟平好；萬事如棋不着高。
定須如我難求友；到處饒人好着棋。
忠厚留有餘地步；和平養無限天機。
欲知世味須嘗膽；不識人情且看花。
當失意時真長進；應非常事貴和平。
九思尤貴事言謹；一介深知取與難。
立身苦被浮名累；涉世無如本色難。
聖功不伐天同古；大度能容海并深。
聖有微言須理會；身當大事莫張皇。
遇事虛懷觀一是；與人和氣察群言。
儀容閑雅人胥愛；文字優長世所師。
古人所重在大節；君子於學無常師。
凡事但求過得去；此心先要放平來。
搔癢不着贊何益；入木三分罵亦精。
燕雀自誇寧識鳳；蜘蛛雖巧不如蠶。
守正行權真事業；平矜節欲大功夫。
聞鐘未可虛清夜；攬鏡還應及妙年。

大賢憂樂同斯世；長史廉平報聖時。
敢將白眼觀天下，未可輕心論古人。
不言時事非常士；能顧身名上等官。
所貴立身無苟且；豈容應世太分明。
不見古人真恨晚；力當時事莫辭難。
常將有盡還天地；別有無窮待古今。
托興要於山水外；論交不在風塵中。
眼界高時無物礙；心源開處有波清。
德取延和謙則吉；功資養性壽而安。
山明水秀皆詩料；燕語鶯啼是友聲。
少壯幾時若朝露；富貴於我如浮雲。
一生乃有真閑日；百歲仍多未了緣。
欲除煩惱須無我；歷盡艱難好作人。
常將酒鑰開眉鎖；不把心機織鬢絲。
悟到禪機萬念息；喜無長物一身輕。
水以委蛇故能遠；天因遼廓乃成高。
山中人惟知自樂；天下事不在多言。

山林自有不朽業；今古無多獨行人。
得一日閑爲我福；作千年計笑人痴。
不知有漢晋閑事；自謂是羲皇上人。
天機清曠長生海；心地光明不夜珠。
滌硯不嫌池水冷；抄書愛傍午窗明。
對弈兩奩飛黑白；讎書千卷雜朱黄。
愛聽松風且高卧；每書蕉葉寄新題。
清言如晋人足矣；濁酒以漢書下之。
一庭花發來知己；萬卷書開見古人。
竹林掃葉烹新茗；石几攤箋寫逸詞。
深院抄書桐葉雨；曲欄尋句藕花風。
翡翠筆床巢鸑鷟；珊瑚硯匣貯虬龍。
花氣欲浮金翡翠；墨香常護玉蟾蜍。
古紙硬黄臨晋帖；矮箋匀碧録唐詩。
一簾風月王維畫；四壁雲山杜甫詩。
洗硯春波臨晋帖；添香夜雨和陶詩。
愛客常開新釀酒；呼童時展舊藏書。

鄭虔三絶詩書畫；坡老一生儒佛仙。
論古欲追千載上；讀書最愛四更初。
松韻聽多塵意浄；菊英餐久世情疏。
雪窗快展時晴帖；山閣閑臨欲雨圖。
黄米飯香青菜熟；緑窗荷放素交賢。
石是米顛袖裏出；詩從摩詰畫中來。
翠筱侵床落蒼雪；石池洗硯動玄雲。
香岫火深生細靄；硯池風過起微瀾。
收入雲山歸畫卷；品題風月到詩篇。
瓶花落硯香歸字；窗竹鳴琴韻入弦。
閑中得句詩無草；醉裏裁箋筆有花。
午枕聽兒吟好句；夜窗留客角殘棋。
深院圍棋消永日；暗窗展紙畫春山。
松窗試硯端溪滑；石鼎烹茶顧渚香。
文成蕉葉書猶緑；吟到梅花句亦香。
詩入司空廿四品；帖臨大令十三行。
物不求餘隨處足；事如能省即心清。

雲中白鶴游超曠；石上青松處潔清。
傳家孝友敦三物；報國文章本六經。
石山靈秀知花窟；雲樹摩挲識水亭。
存心不作烟霞侶；立品偏交松石朋。
思其艱以圖其易；言有物而行有恒。
沽酒獨教陶令醉；吟詩還喜士龍能。
看竹客來雙屐雨；尋詩人坐一庭秋。
入眼詩書皆雪亮；束身名教自風流。
筆健乍臨新獲帖；手生重理舊傳琴。
雷起鼻端朝枕石；水鳴指下夜彈琴。
讀書當觀其氣象；交游求益於身心。
滄海霧收銀萬疊；青山雲斂碧千尋。
陶令酒杯三徑菊；杜陵詩草百花潭。
花堪快意推蘭畹；水可延年是菊潭。
山峰對榻人餐翠；草舍臨岩客卧嵐。
文武火勻調藥鼎；淡濃雲潤覆花龕。
風引鳥聲歸竹塢；雨催花氣入珠簾。

自燒熟火添香獸；閑把寒泉注硯蟾。

蘭蕊霧多香滿座；竹林風動月窺檐。

文當妙處風行水；夜正中時月滿天。

任事者必以實學；謹言人每有奇文。

事要研求皆學問；言堪持贈即文章。

文章到處精神老；學問深時意氣平。

開卷獨游千載上；閉門如在萬山中。

文能換骨無餘法；學到尋源自不疑。

經國有才皆百煉；著書無字不千秋。

風月一庭爲益友；詩書半榻是嚴師。

書從疑處翻成悟；文到窮時自有神。

論古不外才識學；博物能通天地人。

文章是立身歧路；詞翰爲行己外篇。

八體六書生奥妙；五山十水見精神。

好書悟後三更月；良友來時四座春。

人於静處心多妙；詩到窮時句亦工。

托興閑翻廿四史；洗心常探十三經。

讀書衆壑歸滄海；下筆微雲起泰山。

作古文當有生氣；遇賢者自無妄言。

口慧有言皆敏妙；心香無字不精神。

環階碧水流桐雨；入檻青山擁竹雲。

松陰一徑白雲濕；花影半窗紅日遲。

碧天瑞靄千門曉；玉檻春香九陌晴。

風清流水當門轉；春暖飛花隔岸來。

竹韻梅香處士宅；山環水繞野人家。

宅近青山同謝朓；門垂碧柳似陶潛。

春滿祥光迎北闕；朝來爽氣接西山。

近水遥山皆入畫；暖風晴日自成文。

階除曉入風雲氣；户牖春生翰墨香。

瑞日芝蘭光甲第；春風棠棣振家聲。

天將化日舒清景；室有春風聚太和。

景物因人成勝概；太平有象樂時雍。

新蒲細柳皆春色；小巷閑門是隱居。

青山排闥仁爲里；緑竹居鄰德不孤。

璇璣得序天垂象；川岳鍾靈地效材。
藏异書貴得初本；收古書須檢裂文。
書學晋唐方古法；文除遷固總凡才。
是張子野真詞伯；如李將軍乃畫師。
畫本紛披來野意；文詞古怪亦天真。
才如湖海文始壯；腹有詩書氣自華。
奇書貪録如增産；佳卉分培當樹人。
自陳心迹詩之聖；不用矜張文有神。
字無流俗形聲正；詩不矜張結構安。
五岳圭棱河氣勢；六經根柢史波瀾。
文章經世方尊貴；詩酒陶情自曠閑。
萬里風雲横筆陣；九天圭璧入文芒。
不向孔顔尋至樂；難從典誥悟微言。
道藏古籍誰能見；儒是通名哪個真。
舊學商量加邃密；新知涵養轉深沉。
友如作畫須求淡；山似論文不喜平。
逸情老我書千卷；淡意可人梅一窗。

愧無媚骨難諧俗；賴有痴腸解讀書。
春至草堂添喜色；花飛書案助奇香。
詩因中酒多隨意；事到無心即是仙。
古調詩吟山色裏；無弦琴在月明中。
欲將秋水明吾性；好領春風適化機。
半榻清風雲乍散；一樓明月雨初晴。
地迥不知炎暑到；窗虚時有好風來。
瑶臺含霧星辰近；仙嶠浮雲島嶼微。
千峰翠積琴書潤；百尺樓高嘯咏清。
墨池烟靄花閑露；茗鼎香浮竹外雲。
數行褚帖當窗學；一卷陶詩倚枕看。
四壁墨花飛藻麗；滿林修竹戛琅玕。
夢中得咏詩無字；醉後揮毫筆有神。
追摹古人得高趣；别出新意成一家。
花香滿座客對酒；燈影隔簾人讀書。
烏絲闌榻黄庭帖；緑綺琴彈白雪歌。
客散茶香留舌本；睡餘書味在胸中。

水環琴室聲偏細；花護書巢香更多。

人品無瑕玉界尺；文章有骨繡屏風。

妙書魚戲秋江水；佳句風行閬苑花。

瑶爵金盤青玉案；茅檐文石小山屏。

詩敲賀監湖頭月；書榻曹娥江上碑。

漫研竹露題唐句；細嚼梅花讀漢書。

碗茗爐香閑供奉；瓶花盆石小經營。

紅滴硯池花瀉露；緑藏書榻樹圍雲。

八言

心氣和平事理通達；德性堅定品節詳明。

靜以修身儉以養德；勤則不匱敏則有功。

禮爲教本敬乃身基；道以德宏聲由業廣。

行所當行不爲已甚；慎之又慎未敢即安。

暗室中須問心得過；平地處亦失足堪虞。

存儼若思養浩然氣；視已成事讀未完書。

聖人畏微必謹其獨；君子卑謙乃尊而光。

豈獨安分守身爲事；欲作頂天立地之人。

既動復止初念不及；
自昧而明群疑盡除。

束身如圭澄懷似鏡；
種德類樹養心若魚。

相見以誠相率以敬；
毋蔽於溺毋苛於微。

以孝肥家以忠肥國；
與道爲際與德爲鄰。

積善之家必有餘慶；
資富能訓惟以永年。

德樹心田家常種福；
香浮學圃人盡鋤經。

經濟博通言達於行；
家庭和樂質有其文。

家有常業雖饑不餓；
心無偏見既和且平。

枕石漱流一生自在；
幕天席地兩大常寬。

人壽幾何白駒過隙；
世態萬變蒼狗浮雲。

無彼我心是真平等；
去貪嗔念乃大自由。

塞翁失馬即禍即福；
鄭人覆鹿若夢若真。

實用無關璞鼠何异；
閑情偶寄琴鶴相親。

無盡藏是清風明月；
有用材非异物奇珍。

諸子以南華爲絶妙；
列傳惟太史得沉雄。

振三五六經之羽翼；
羅二十八宿於心胸。

尺書可當十部從事；
名作便是五言長城。

春氣遂爲詩人所覺；
夜坐能使畫理自深。

柳骨顔筋千秋楷法；
韓潮蘇海萬頃文瀾。

荀卿立言首重勸學；
陽明闡道惟在良知。

水本清，投諸穢乃濁；
冰雖堅，曝以日便消。

早起爲花，遲眠爲月；
晚食當肉，安步當車。

夏日可畏，冬日可愛；
春山如笑，秋山如妝。

有酒學仙，無酒學佛；
閉門快讀，出門快游。

每想病時，塵心漸滅；
常防死日，善念自生。

身被名牽，樊籠鷄鶩；
心爲形役，塵世馬牛。

名利場中，衆生自縛；
逍遥物外，百障皆空。

閲盡興衰，胸襟雪亮；
勘破因果，得失冰消。

心地光明，游行自在；
思潮起落，高卧便忘。

牛渚燃犀，怪物乃出；
昆山鐫石，太璞不完。

蝴蝶莊生，蘧蘧栩栩；
猶龍老子，悶悶昏昏。

毁譽由人，彼勞我逸；
榮枯隨化，生寄死歸。

斟竹葉酒，廣養生論；
咬菜根味，誦楞嚴經。

緑野春回，生機蓬勃；
青天月滿，化境空明。

道不可卑，德惟自下；
言思爲則，行必有威。

至性至情，得天者厚；
實心實政，感人也深。

道德一經，首重在儉；
損益諸義，無大於謙。

見義則爲，鋤其德色；
當仁不讓，養此心苗。

守獨悟同，別微見顯；
辭高居下，置易就難。

道合天人，無用之用；
心有權度，不平以平。

文子深思，事得其理；
武侯集益，人極所能。

行道有福，能勤有繼；
居安思危，在約思純。

與其輕人，不如重我；
但求無過，非必有功。

仁者爲人，學者爲己；
周而不比，和而不同。

常將令德，表此風俗；
不以外物，擾其天和。

居以志養，仕以祿養；
德爲人師，學爲經師。

古稱不德，乃爲上德；
夫惟無争，斯莫之争。

見人有過，若己之失；
於理既得，即心所安。

就已然情，知未來事；
於獨居地，見大衆心。

事不終始，毋務多業；
任有大小，惟其所能。

大器晚成，少安毋躁；
急流勇退，小住爲佳。

春風比和，秋月儷潔；
東岳量峻，西溟測深。

度比江河，細流兼納；
氣如春夏，群物發生。

從繩則正，從諫則聖；
佐饔得嘗，佐斗得傷。

酒能成事，酒能敗事；
水可載舟，水可覆舟。

樹木得陰，樹棘得刺；
争魚者濡，争獸者趨。

十年種樹，君子有後；
一朝復禮，天下歸仁。

發上等願，享下等福；
從高處立，向寬處行。

體驗入微，不物於物；
造就者大，化工無工。

觀海得深，瞻天見大；
昇階有級，入室知門。

孝友和光，結爲瑞彩；
文章古艷，披以丹霞。

甘露醴泉，是生瑞草；
桐花竹實，可引鳳凰。

蓮出緑波，有君子德；
蘭生幽谷，爲王者香。

登黄鶴樓，讀赤壁賦；
磨青鐵硯，歌白雪詩。

所謂成人，粹然至善；
夫惟大雅，卓爾不群。

高情若雲，朗抱如月；
和神當春，清節爲秋。

栽桂佩蘭，香生几席；
品松種竹，蔭庇門庭。

洗竹招凉，迎花襲暖；
聽松益壽，釀菊延年。

筆硯精良，人生一樂；
琴樽瀟灑，心迹雙清。

東壁圖書，西園翰墨；
南華秋水，北苑春山。

赤壁之游，壬戌七月；
蘭亭修禊，癸丑九年。

天在山中，果能蓄德；
風行水上，自然成文。

蘿月彈琴，松風揮麈；
蕉雪悟道，竹雨談詩。

秋菊春蘭，晚香馥若；
商彝夏鼎，古意盎然。

黛柏蒼松，慶雲常護；
紅蘭翠竹，佳日孔多。

威鳳九苞，卿雲五色；
芳蘭一品，琪樹三花。

海闊天空，日長山靜；
水流雲在，月照風來。

相鶴有經，來禽名帖；
畫蘭訂譜，種樹成書。

當會意時，山川助我；
到忘機處，魚鳥親人。

風月雙清，雲霞五色；
詩書三昧，山水八音。

初日芙蓉，曉風楊柳；
午晴芍藥，夜雨芭蕉。

霞吐九光，雪飛六出；
芝呈五色，麥秀雙歧。

秋月春花，不少佳處；
高山流水，別有知音。

竹塢調琴，松窗潑墨；
蘭亭修禊，梅嶺尋詩。

秋日照人，春風坐我；
青山當户，白雲過庭。

品格清高，邀梅作友；
襟懷磊落，拜石爲兄。

隨遇而安，因樹爲屋；
會心不遠，開門見山。

天半朱霞，雲中白鶴；
山間明月，江上清風。

富在知足，貴在知退；
文必宗聖，學必宗經。

孝友淵源，傳作家政；
詩書根柢，蔚爲國華。

能忍自安，知足常樂；
群居守口，獨坐防心。

一物不知，儒者之耻；
片長自足，壯夫不爲。

偶然書畫，即此是學；
作爲文章，云胡不臧。

積文十篋，可謂備矣；
讀賦千首，乃能爲之。

志養鯤鵬，心收鴻鵠；
文成蝌蚪，字走蛟蛇。

文究詞林，學窮書府；
手探月窟，足躋天根。

剛日讀經，柔日讀史；
怒氣寫竹，喜氣寫蘭。

如樂之和，乃稱盛德；
無書不覽，是爲通儒。

日有所思，經史如詔；
久於其道，金石爲開。

作德日休，爲善最樂；
順理則裕，從欲則危。

壯思風飛，逸情雲上；
和光春靄，爽氣秋高。

湖海豪情，元龍高卧；
神仙遐想，黄鶴來游。

玉粹金和，渾然元氣；
禮耕義種，必有豐年。

孝友初心，詩書夙好；
春秋佳日，山水清音。

雲現吉祥，星明福壽；
花開富貴，竹報平安。

九言及以上

天下斷無易處之境遇；
人間那有空閑的光陰。

待足幾時足，知足自足；
求閑何日閑，偷閑便閑。

喜有兩眼明，多交益友；
恨無十年暇，快讀奇書。

陰陽風雨晦明，受之以節；
夢幻露電泡影，作如是觀。

汲水澆花亦思於物有濟；
掃窗設几要在予心以安。

讀書好耕田好要好便好；
創業難守成難知難不難。

克去私心當如斬釘截鐵；
養成静性要似止水澄波。

自長非所增，自短非所損；
獨立不慚影，獨寢不慚衾。

對青天而懼，聞雷霆不驚；
履平地若危，涉風波無患。

不作公卿，非無福命都緣懶；
難成仙佛，爲讀詩書又戀花。

得飽便休，身外黄金無用物；
遇閑且樂，世間白髮不饒人。

忙裏有餘閑，登山臨水觴咏；
身外無長物，布衣蔬食琴書。

世事一枰棋，總要成功後着；
人情三峽水，當爲砥柱中流。

愛惜精神，留他日擔當宇宙；
蹉跎歲月，問何時報答君親。

反己修爲，學聖賢盡其在我；
由人毀譽，觀天地何所不容。

世事如棋，讓一着不爲虧我；
心田似海，納百川方見容人。

惜食惜衣，不特惜財兼惜福；
求名求利，但須求己莫求人。

學有後先，須從灑掃應對起；
功歸簡要，不在文詞記誦多。

讀古人書，須設身處地一想；
論天下事，要揆情度理三思。

何以作生涯，且服先疇之畎畝；
都是可樂處，聊全素履於邱園。

茅屋萬山中，車馬不來真避俗；
柴門疏竹處，簞瓢可樂自忘年。

看梅子熟時，個中人酸甜自得；
聞木樨香否，門外人坐卧由他。

至樂莫過讀書，至要莫如教子；
寡智乃能習静，寡營乃可養生。

守東平王格言，不外爲善二字；
遵司馬公家訓，只在積德一端。

大本領人，當日不見有奇异處；
真學問者，終身無所謂滿足時。

戒之在色，戒之在斗，戒之在得；
職思其居，職思其外，職思其憂。

要辦事，莫生事，要任怨，莫斂怨；
可與利，毋近利，可急功，無喜功。

且靜坐撫良心今日所爲何事；
莫亂行從正道前途自遇好人。

芝草無根，醴泉無源，人貴自立；
流水不腐，户樞不蠹，民生在勤。

與物無所争，蟹自斂螯，蜂自藏刺；
隨時皆足樂，花能解語，草可忘憂。

到門莫問姓名，花草一庭欣有主；
入室自分雅俗，圖書四壁可留人。

心地上無風波，隨遇皆山明水净；
性天中有化育，觸處見魚躍鳶飛。

不改其樂，即顏子一瓢，貧也何害；
無德而稱，雖景公千駟，富亦奚爲。

要子弟輩學做好人，由我先立榜樣；
於鄉里中得友善士，遇事方可便宜。

蘭爲善士，艾比小人，惟薰蕕之自別；
松號大夫，竹稱君子，亦功德所宜旌。

真才子機杼一家，組霧織雲成錦綉；
大文章瑰奇萬狀，翻江攪海起波濤。

柴米油鹽醬醋茶烟，除卻神仙少不得；
孝悌忠信禮義廉耻，没有銅錢可做來。

人生惟酒色機關，須百煉此身成鐵漢；
世上有是非門户，要三緘其口學金人。

何必讀盡聖賢書，能全孝友便爲實學；
縱然周知天下事，不知進退總是愚人。

何須建掀天揭地事功，方爲不負所學；
但識得修身齊家道理，亦云無忝爾生。

畫虎類犬，刻鵠成鳧，取法不慎則有悔；
教羊牧兔，使魚捕鼠，任用非人必無功。

天生我才，且學他渭釣莘耕，是亦爲政；
人處斯世，但願如回愚參魯，夫復何求。

青天白日處節義，從暗室屋漏中培來；
旋乾轉坤的經濟，自履薄臨深處得力。

著書忌早，處事忌擾，立朝忌巧，居室忌好；
制身欲方，行事欲圓，存心欲拙，作文欲華。

苔痕上階綠，草色入簾青，此間得少佳趣；
荷風送香氣，竹露滴清響，何處更着點塵。

希聖希賢希天，此等地位豈肯讓他人占去；
立言立功立德，這般事業還須屬自己擔當。

無狂放氣，無道學氣，無名士風流氣，乃稱儒者；

有誦讀聲，有紡織聲，有小兒啼哭聲，纔算人家。

苟能敬以持己，恕以接物，何患不到聖賢地位；
果其內可自安，外可對人，庶幾無愧上下神祇。

隨意而栽花竹，適性而養禽魚，此是山林經濟；
口中不設雌黃，眉端不掛煩惱，可稱烟火神仙。

居何必曠野平原，即窮谷深山便是鵝湖鹿洞；
文不用鈎奇索隱，任輕描淡寫無非蘇海韓潮。

有子孫，有田園，家風半讀半耕，
但以箕裘承祖澤；
無官守，無言責，世事不聞不問，
且將艱巨付兒曹。

必孝友乃可傳家，弟兄式好無他，
即外侮何由而入；
惟讀書常能裕後，子孫見聞止此，
雖中材不致爲非。

人生窮達豈能知，趁早須立定可爲
聖賢可對帝天之志；
客告是非都莫管，得閑要遍讀有益
心身有關世道之書。

立品如岩上松，必歷千百載風霜，
方可柱明堂而成大厦；
檢身若璞中玉，經磨數十番沙石，
乃堪琢圭璋而寶廟廊。

風雨故人來，好弄些詩酒琴棋，斗
室清閑，此地權當極樂國；
乾坤吾廬在，但願與友朋親戚，他
山攻錯，大家學做葛懷民。

風景名勝

泰山壺天閣

登此山一半已是壺天；造極頂千重
尚多福地。

——清·廷鏴

泰山南天門

門闢九霄，仰步三天勝迹；階崇萬級，俯臨千嶂奇觀。

泰山泰山樓

我本楚狂人，五岳尋仙不辭遠；地猶鄒氏邑，萬方多難此登臨。

——清·彭玉麟

泰山雨花院

雨不崇朝遍天下；花隨流水到人間。

——清·徐宗干

泰山孔子崖

仰之彌高，鑽之彌堅，可以語上也；出乎其類，拔乎其萃，宜若登天然。

——清·徐宗干

恒山南關

峻嶺鎮幽燕，近翊黃圖，風雨永昭和會；靈山鐘畢昴，遥連紫塞，陰陽迭起貞元。

衡山南岳大廟正殿

居艮位而踐離躔，溥雷池風穴之功，柱鎮天南，斗横地北；列三公而配四岳，標月館露臺之勝，帆隨湘轉，雁到峰回。望望七十二峰，工部游時，詩聖問誰能繼響；遥遥一千餘載，文公去後，岳雲從此不輕開。

都門陶然亭

似聞陶令開三徑；來與彌陀共一龕。

——清·林則徐

烟籠古寺無人到；樹倚深堂有月來。

——清·翁方綱

客醉共陶然，四面凉風吹酒醒；人生行樂耳，百年幾日得身閑。

——清·蔡錦泉

爽氣抱城來，拄笏看山宜此地；緑陰生晝靜，憑欄覓句幾閑人。

——清·盧禪普

果然城市有山林，除卻故鄉無此好；難得酒杯澆塊壘，釀成危局待支持。

——清·江峰青

函谷關猶龍閣

未許田文輕策馬；願逢老子再騎牛。

山西聞喜縣紅鶴樓

樓中幾閱古今秋，想當年丹翼飛來，放眼都成仙世界；橋上許多名利客，到此地緑陰深處，回頭即是小蓬瀛。

——清·劉竹笑

五泉山

佛地本無邊，看排闥層層，紫塞千峰憑檻立；清泉不能濁，笑出山滚滚，黄河九曲抱城來。

——清·梁章鉅

平涼六盤山

峰高華岳三千丈；險據秦關百二重。

——清・潘齡皋

酒泉井

中聖人之清有如此水；取醉翁之意以名吾亭。

——清・左宗棠

四川杜甫草堂

十年幕府悲秦日；一卷唐詩補蜀風。

——高昇之

詩史數千言，秋天一鶻先生骨；草堂三五里，春水群鷗野老心。

——清・象予氏

异代不同時，問如此江山，龍蟠虎卧幾詩客；先生亦流寓，有長留天地，月白風清一草堂。

——清・顧復初

地有千秋，南來尋丞相祠堂，一樣大名垂宇宙；橋通萬里，東去問襄陽耆舊，幾人相憶在江樓。

——清・沈葆楨

水石適幽居，想溪外微吟，翠竹白沙依草閣；樓臺開暮景，結花間小隊，野梅官柳接春城。

——清・沈葆楨

古柏亭

柯如青銅根如石；花爲四壁船爲家。

——清・顧復初

停琴佇凉月，予懷浩渺，送一篙春水，緑到江南。

——清・顧復初

薛濤井

古井冷斜陽，問幾樹枇杷，何處是校書門巷；

長江横曲檻，剩一樓風月，要平分工部祠堂。

——清・武介康

漢水接蒼茫，看滚滚江濤，流不盡雲影天光，萬里朝宗東入海；

錦城通咫尺，聽紛紛絲管，送來些鳥聲花氣，四時佳興此登樓。

——清・楊宗蔚

花箋茗碗香千載；雲影波光活一樓。

——清・何紹基

蘇公讀書臺

江上此臺高，問坡穎而還，千載讀書人幾個；

蜀中游迹遍，看嘉峨并秀，扁舟載酒我重來。

——清・何紹基

望江樓

引袖拂寒星，古意蒼茫，看四壁雲山，青來劍外；

通州河樓

高處不勝寒，溯沙鳥風帆，七十二沽丁字水；
夕陽無限好，對燕雲薊樹，百千萬疊米家山。

——清·程德潤

山東大明湖薛荔樓

四面荷花三面柳；一城山色半城湖。

——清·劉金門

地占百灣多是水；樓無一面不當山。
舟行着色屏風裏；人在回文錦字中。

——清·孫星衍

濟南趵突泉

畫閣鏡中看，幻作神仙福地；
飛泉雲外聽，寫成山水清音。

——清·石韞玉

濟南歷下亭

鑿壁開窗，最可喜雪霽南山，霞明東海；
皮床枕水，有幾個春宵聽雨，秋月彈琴。

——清·豐申泰

獨上高樓，是山色湖光勝處；誰家畫舫，正清歌美酒良時。

——清·方萱年

漢中天漢樓

到此最高，看芳樹春流，一覽兼收秦蜀景；

何須更上，誦好山雲影，五言已盡宋元詩。

甘肅蘭州拂雲樓

積石導流趨大海；崆峒倚劍上重霄。

——清·左宗棠

華亭寺

一水抱城西，烟靄有無，拄杖僧歸蒼茫外；

群峰朝閣下，雨晴濃淡，倚欄人在畫圖中。

——明·楊慎

海心亭

有亭翼然，占緑水十分之一；何時閑了，與明月對影而三。

——清·黄奎元

西山羅漢崖

時出雲烟鋪下界；夜來鐘磬徹諸天。

貴州圖雲關亭

兩脚不離大道，吃緊關頭，須要認清岔路；

一亭俯看群山，占高地步，自然趕上前人。

北關頭橋

説一聲去也，送别河頭，嘆萬里長驅，過橋便入天涯路；

盼今日歸哉，迎來道左，喜故人見面，握手還疑夢裏逢。

雲南昆明滇池大觀樓

五百里滇池，奔來眼底。披襟岸幘，

喜茫茫空闊無邊。看東驤神駿，西翥靈儀，北走蜿蜒，南翔縞素，高人韻士，何妨選勝登臨。趁蟹嶼螺洲，梳裹就風鬟霧鬢；更蘋天葦地，點綴些翠羽丹霞。莫孤負四圍香稻，萬頃晴沙，九夏芙蓉，三春楊柳。

數千年往事，注到心頭。把酒凌虛，嘆滾滾英雄誰在？想漢習樓船，唐標鐵柱，宋揮玉斧，元跨革囊，偉烈豐功，費盡移山心力。盡珠簾畫棟，捲不及暮雨朝雲；便斷碣殘碑，都付與蒼烟落照。只贏得幾杵疏鐘，半江漁火，兩行秋雁，一枕清霜。

——清・孫髯翁

造物本無私，移來檻外烟霞，適開勝景；

會心原不遠，就此眼前山水，猶見古人。

——近代・王維誠

滕縣訪蘇亭

萬里赴瓊儋，夜起江心弄明月；一亭撫笠屐，我從畫裏拜先生。

公是孤臣，明月扁舟留句去；

我爲過客，空江一曲向誰彈。

——清・梁章鉅

桂林南熏亭

山從衡岳分來，數雲外芙蓉，畫本都收眼底；

水向蒼梧重滙，聽江頭琴築，元音猶在人間。

——蔣綺齡

廣州白雲山半山亭

上方月出初生白；下界塵飛不染紅。

——清·梁紹壬

鎮海樓

百千劫危樓尚存，問誰摘斗摩霄，目空今古；

五百年故侯安在？愧我倚欄看劍，淚灑英雄。

南明河翠微閣

半面江樓，半面山樓，書畫舫，容我掀髯大笑，邀幾個赤松黃石白猿，來一評今古；

數聲樵笛，數聲漁笛，翠微天，盡他拍手高歌，聽不真清風明月綠水，引萬象空濛。

——清·汪仙圃

觀風臺

河上此高臺，樽酒談兵，漢武鄉駐師而還，鏖世金戈傷往事；

曲中聞折柳，斜陽滿樹，鄂文端凱歌之後，誰家玉笛暗飛聲。

——清·阮仲明

飛雲洞

洞闢幾時，問孤松而不語；

雲飛何處，輸老鶴以長閑。

——清·龔學海

甲秀樓

烟雨樓臺山外寺；畫圖城郭水中天。

鎮遠大王灘亭

到岸猛回頭，聽舞陽第一灘聲，浪與篙爭，好仗神威資利濟；順流須努力，看黔國萬重山水，峰隨舵轉，全憑忠信涉波濤。

湖南岳陽樓

四面湖山歸眼底；萬家憂樂到心頭。

——清·陳大綱

放不開眼底乾坤，何必登斯樓把酒；吞得盡胸中雲夢，方可對仙人吟詩。

——清·王褒生

呂道人太無聊，八百里洞庭，飛過去，飛過來，一個神仙誰在眼；范秀才亦多事，數十年光景，什麼先，什麼後，萬家憂樂總關心。

湘靈瑟，呂仙杯，坐攬雲濤人宛在；子美詩，希文筆，笑題雪壁我重來。

——清·畢沅

蒼茫四顧，俯吳楚剩水殘山，今古戰爭場，只合吹鐵笛一聲，喚醒滄桑世界；憑吊千秋，問湖湘騷人詞客，後先憂樂事，果誰抱布衣獨任，擔當日夜乾坤。

——清·李秀峰

一樓何奇，杜少陵五言絶唱，范希文兩字關情，滕子京百廢俱興，呂純陽三過必醉，詩耶，儒耶，吏耶，仙耶，前不見古人，使我愴然涕下；諸君試看，洞庭湖南極瀟湘，揚子江北通巫峽，巴陵山西來爽氣，岳州城東道岩疆，渚者，流者，峙者，鎮者，此中有真意，問誰領會得來。

——清·竇垿

寶慶雙清亭

雲帶鐘聲穿樹出；風摇塔影過江來。

把酒滌煩襟，任天涯草綠，世界塵紅，此心澄似雙江水；憑欄舒望眼，看遠浦帆檣，夕陽城郭，勝概多於六嶺春。

桃花源山

絶景此何來，版圖原非劉氏土；避秦意休問，世家本屬晉時人。

無怪倏爾而秦、倏爾而漢，到此地小坐片時，便成旦暮；看來何必有洞、何必有花，與諸君清談半晌，即是神仙。

說甚神仙，看千年石洞開時，城郭人民，還是耕田鑿井；閱成今古，聽半夜金鷄叫醒，興亡秦漢，都歸流水桃花。

——清·余良棟

水源亭

洞闢幾時，問桃花而不語；亭蹲一角，對潭水以懷清。

——清·李維昺

村舍儼然，笑漁人迷不得路；水源宛在，偕太守常來問津。

——清·曾昭寅

澧州南樓

八百里秋水洞庭，溯源此近；二千年美人香草，把筆誰來。

——清·朱貞白

衡州雁峰寺

大夢忽聞鐘，任他烟雨迷離，還當醒眼；
浮生真類雁，看到天花欲墜，我亦回頭。

湖北黃州赤壁

勝迹別嘉魚，何須訂异箴訛，但藉江山攄感慨；
豪情傳夢鶴，偶爾吟風嘯月，毋將賦咏概平生。

——清·朱蘭坡

黃鶴樓

何時黃鶴重來，且自把金樽，看洲渚千年芳草；
今日白雲尚在，問誰吹玉笛，落江城五月梅花。

我輩復登臨，昔人已乘黃鶴去；大江流日夜，此心常與白鷗盟。

——清·端方

心遠地天寬，把酒憑欄聽玉笛，梅花此時落否；
我辭江漢去，推窗寄慨問仙人，黃鶴何日歸來。

——清・彭玉麟

到來徑欲凌風去；吟罷還思借笛吹。

——清・魯之裕

一樓萃三楚精神，雲鶴俱空橫笛在；
二水匯百川支派，古今無盡大江流。

——清・薩迎阿

一枝筆挺起江漢間，到最上層放開肚皮，直吞將八百里洞庭，九百里雲夢；
千年事幻在滄桑裏，是真才人自有眼界，哪管他去早了黃鶴，來遲了青蓮。

——清・陳寶裕

漢陽晴川閣

山勢西分巫峽雨；江流東壓海門潮。

高閣逼天紅日近；一川如畫曉晴初。

棟宇逼層霄，憶幾番仙人解佩，詞客題襟，風日最佳時，坐倒金樽，卻喜青山排闥至；
川原攬全省，看不盡鄂渚烟光，漢陽樹色，樓臺如畫裏，卧吹玉笛，還隨明月過江東。

——清・宋牧仲

漢陽伯牙臺

先生真移我情，挹湖上清風，尚留弦外餘音，曲中天籟；此地適如人意，訪漢南春色，恰有夾堤楊柳，隔岸桃花。

——清・宋牧仲

緑樹成陰，芳草如積，登臨貴在得趣時耳；水仙一去，樵子不來，先生何以移我情乎。

——清・宋牧仲

江西南昌滕王閣

帝子長洲，仙人舊館；將軍武庫，學士詞宗。地闊天空，山高月小；龍吟虎嘯，魚躍鳶飛。依然極浦遥天，想見閣中帝子；安得長風巨浪，送來江上才人。

——清・宋牧仲

我輩復登臨，目極湖山千里而外；奇文共欣賞，人在水天一色之中。

——清・李春園

興廢總關情，看落霞孤鶩，秋水長天，幸此地湖山無恙；古今纔一瞬，問江上才人，閣中帝子，比當年風景何如。

——清・劉坤一

滕王何在，剩高閣千秋，劇憐畫棟珠簾，都化作空潭雲影；閻公能傳，仗書生一序，寄語東南賓主，莫輕看過路才人。

——清・周峋芝

琵琶亭

燈影憧憧，淒絶暗風吹雨夜；荻花瑟瑟，魂銷明月繞船時。

——清·金眉生

聚散總前緣，最相宜明月一船，清風兩岸；

古今幾名士，合共唱大江東去，秋雁南來。

——万象周

吴城望湖亭側鴻雪軒

客已倦游，偶然小住湖山，便欲乘風歸去；

人生如寄，留得觀前指爪，不妨踏雪尋來。

——清·曹汲珊

廬山絶頂

足下起祥雲，到此處應帶幾分仙氣；

眼前無俗障，坐定後宜生一點禪心。

——清·李漁

虎溪三笑亭

橋跨虎溪，三教三源流，三人三笑語；

蓮開僧舍，一花一世界，一葉一如來。

——清·唐英

采石磯太白樓

紫微九重，碧山萬里；流水今日，明月前身。

——清·齊彦槐

公昔登臨，想詩境滿懷，酒杯在手；
我來依舊，見青山對面，明月當頭。
——清・胡敬

安徽安慶大觀亭

倚檻蒼茫千古事；過江多少六朝山。
——清・陶澍

秋色滿東南，自赤壁以來，與客泛舟無此樂；
大江流日夜，問青蓮而後，舉杯邀月更何人。
——李烈鈞

莽乾坤能得幾人閑，早安排鐵板銅琶，唱大江東去；
好風月不用一錢買，休辜負青山紅樹，送爽氣西來。
——王珊森

潭柘寺彌勒殿

大肚能容，容天下難容之事；
開口便笑，笑世間可笑之人。

靈隱寺

每有山風，豁開眼界；
常將月露，洗净心塵。

秦淮楊氏水閣

六朝金粉，十里笙歌，裙屐昔年游，最難忘北海豪情，西園雅集；
九曲清波，一簾夢影，樓臺依舊好，且消受東山絲竹，南部烟花。
——清・薛慰農

隨園

放鶴去尋三島客；任人來看四時花。

——清・袁枚

瞻園

辛勤有此廬，抽身歸矣，喜鳥啼花笑，三徑常開，好領取竹簞清風，茅檐暖日；

蕭閑無個事，閉户恬然，對茶熟香温，一編獨抱，最難忘別來舊雨，經過名山。

——清・秦大士

怡園

古今興廢幾池臺，往日繁華，烟雲忽過，這般庭院，風月新收，人事底虧全，美景良辰，且安排剪竹尋香，看花索句；

從來天地一稊米，漁樵故里，白髮歸耕，湖海生平，蒼顏照影，我志在遼闊，朝吟暮醉，又何知冰蠶語熱，火鼠論寒。

——清・顧文彬

歲時慶賀

春聯

九陌祥烟合；千山淑氣融。

九農歌歲早；萬國樂時雍。

春帖書金管；新醅泛玉缸。

遠山含秀色；芳樹發春暉。

韶華光宇宙；喜氣溢門閭。

迎新喧爆竹；送暖到屠蘇。

楊柳春風第；芝蘭玉樹階。

慶雲飛五色；瑞氣繞三臺。
淑氣催黄鳥；晴光轉緑萍。
竹陰留瑞靄；花氣結晴雲。
風來花自舞；春到鳥能言。
葉吐藏鴉柳；花舒門鴨闌。
迎門多紫氣；排闥看青山。
霞光徵曉瑞；雲物報豐年。
風信傳梅蕊；春光泄柳條。
和風扇平野；陽氣動林梢。
風暖日華麗；氣澄天宇高。
皇極開昌運；春風釀太和。
松應添歲壽；梅尚隔年花。
地近親仁宅；門臨履善坊。
樓閣春光好；江山曙色明。
日月光天德；雲霞擁地靈。
萬方春浩蕩；四海鏡清澄。

承家傳舊德；獻歲啓新猷。
春色來天地；山雲變古今。
寒消圖九九；春到徑三三。
祥光凝比户；春色入重簾。
松老蒼龍化；桐新紫鳳銜。
新年納餘慶；佳節號長春。
日長萱草連雲秀；風静蘭芽帶露濃。
松抱貞心留作棟；草含生意自當窗。
水光漾碧浮新緑；花信傳紅到舊枝。
萬里喬雲開麗景；千山新靄照清暉。
瓮頭新釀翻花熟；堂上春聯帶草書。
千門共貼宜春字；萬户同懸换歲符。
庭院風微人意愜；池塘春早鳥聲低。
晴旭當窗呈麗色；春風滿座暢幽懷。
日月光華歌復旦；雲霞燦爛樂長春。
春雨膏流百五日；花信風傳廿四番。

錦綉春明花富貴；琅玕晝静竹平安。
野外遥青春一色；窗中遠黛曉千鬟。
梅帶寒香成隔歲；酒移臘味入新年。
河清海晏金甌固；人壽年豐玉燭調。
天上星杓旋北斗；人間春信到東郊。
泥坼新芽紅芍藥；香浮春釀碧葡萄。
玉樹暖迎滄海日；珠簾光動赤城霞。
吉祥草發親仁里；富貴花開晝錦堂。
九天日月開新運；萬里笙歌醉太平。
椒盤柏酒新年樂；草色苔痕陋室馨。
雪消堤柳芽初茁；風扇階蓂葉漸增。
春風化及三千界；朝旭晴烘十二樓。
梅迎春意添新色；鳥代晴光報好音。
淑氣所催，草木皆長；
盛時相際，風雨胥和。
慶洽新春，五族所共；
澤周諸夏，萬邦乃和。
爆竹兩三聲人間改歲；
梅花四五點天下皆春。
化日麗光天，曙色簾櫳開錦綉；
華堂膺景福，春風臺榭繞雲烟。

賀壽

賀壽通用

五雲飛玉島；百福上瑶臺。
玄圃靈芝秀；仙階柏葉榮。
松齡長歲月；鶴語紀春秋。
漢柏秦松骨氣；商彝夏鼎精神。
重疊仙雲垂玉島；太平瑞草滿瀛洲。

壽酒濃於仙掌露，雲華爛比老萊衣。

百合香凝金鼎重，九霞觴換玉壺清。

琥珀盞斟千歲酒，琉璃瓶種四時花。

五色芝因仙露長，九如圖向瑞雲開。

玉樹暖迎滄海日，綺筵春泛赤城霞。

長享共和無量福，欣承積善有餘慶。

霓回彩袖隨斑舞，露挹金莖注紫觴。

松柏延齡，仙雲滋露；
雪霜滿鬢，丹氣成霞。

海屋雲開，籌添八百；
瓊林霧靄，桃熟三千。

渾金璞玉，是壽者相；
碧梧翠竹，得氣之清。

酒晉長春，香浮玉座；
花開益壽，彩映斑衣。

曲奏南熏，年豐人壽；
尊開北海，花好月圓。

天高氣清，極媚煥彩；
月圓人壽，杞菊延年。

桃實三千，佳果平分仙洞；
春光九千，誕辰偏占芳期。

五十雙壽

德行齊輝，一門聚慶；
福疇大衍，百歲同符。

五十七夕雙壽

屈指三秋，天上又逢七夕；
齊眉百歲，人間自有雙星。

六十雙壽

繞膝含飴，萊衣競舞；
齊眉舉案，花甲同周。

七十雙壽

健順有常，惟仁者壽；
陰陽合德，真古來稀。

九五福屈指君皆備；
七十歲齊眉古更稀。

八十雙壽

望三五夜月對影而雙，天上人間齊焕采；
占八千春秋百分之一，椿庭萱舍共遐齡。

九十雙壽

人近百年猶赤子；天留二老看玄孫。

百歲雙壽

孫子生孫，五代幸逢全盛世；
老人偕老，百年共樂太平春。

七世共居，如木之長，如流之遠；
百年偕老，吾聞其語，吾見其人。

男壽通用

泰岱松千尺；丹山鳳九苞。
玄鶴千年壽；蒼松萬古春。

聲名方北斗；甲子配南山。

露滋三秀草；雲護九如松。

菊水人皆壽；桃源境是仙。

仙臺牒注長生字；蓬島春開富貴花。

仙家日月壺公酒；名士風流太傅詩。

仙居十二樓之上；大壽八千歲爲春。

八千椿影仁者壽；九五箕疇福有徵。

潞國晚年營藥圃；鄴侯夙分證神仙。

行可楷模年稱德；老於松柏歲長春。

採芝之時逐商山皓；約社頻隨洛下英。

香山勝會堪分席；絳縣高年可預占。

南州冠冕此其選；上古春秋可與儔。

瓊林歌舞群仙會；海屋衣冠百壽圖。

閬苑餐花能返少；玉壺貯月自常明。

有子有孫，皆名駒也；
多福多壽，其猶龍乎。

瑶草琪花，堂開绿野；
瓊筵羽觴，客坐青雲。

履和蹈亨，宿福餘慶；
頤性養壽，鋪德樹聲。

詩譜南山，筵開西序；
樽傾北海，彩絢東階。

温温恭人，德音是茂；
藹藹吉士，壽考維祺。

得古人風，有爲有守；
惟仁者壽，如岡如陵。

熊釣磻溪，芝餐商嶺；
龍游函谷，鶴峙香山。

南海普陀，公是諸天佛子；
東方曼倩，人稱陸地神仙。

頤養淪天和，春在先生杖履；
康强徵壽相，福陳洪範箕疇。

紫氣望東來，道德五千應秘授；
壽星輝南極，仙籌八百看重添。

壽考維祺，德音是茂；
禮儀既備，茀祿爾康。

日永蓬壺，祥開算亥；
天高嵩岳，瑞誕生申。

杖策扶鳩，善人徵壽相；
調琴飼鶴，仙署駐長春。

七十歲男壽

三千歲月春常在；
六一豐神古所稀。

入國正宜鳩作杖；
歷年方見鶴添籌。

飛熊此日猶藏渭；
五羖於今正相秦。

杖國遐齡，松椿比壽；
傳家樂事，蘭桂齊芳。

慶祝三多，瓊筵晋爵；
祥開七秩，玉杖扶鳩。

耄耋頤期，自今以始；
富貴壽考，於古爲稀。

仙賜蟠桃，人歌上壽；
國尊鳩杖，天與稀齡。

八十歲男壽

十里枌楡推老宿；一竿風雨待安車。

杖朝步履春秋永；釣渭絲綸日月長。

耆年可入香山壽；碩德堪宏渭水謨。

瓊壺早春六鰲東駕；

玉局上壽一鶴南飛。

白髮頻添，童顏未改；

緑醽滿酌，老興尤濃。

八十歲葆素全真，自合申公迎駟馬；

五千言修身煉性，須看老子跨青牛。

九十歲男壽

椿壽預祝八千歲；花甲已添三十年。

移山正作愚公計；儆國聽歌衛武詩。

閑雅鹿裘人生三樂；

逍遥鳩杖天保九如。

算益卅年重周花甲；

丹成九轉喜遇芳辰。

百歲男壽

蓬萊盤進長生果；玳瑁筵開百歲觴。

人生不滿公今滿；世上難逢我竟逢。

禮祝期頤莊椿無算；

詩歌福履虞壽同登。

行樂及時，已得三萬六千日；

大德必壽，預祝一百有十年。

壽業師

達材成德幸相期，坐小子春風一月；
耳順從心無止境，祝先生履杖千秋。

壽友人父

嘏祝華堂，共仰韋平有家法；
班隨萊彩，喜從群紀得心交。

漢瓦萬歲，唐鑒千秋，我聞在昔；
河渚五老，陌上三叟，又見於今。

鄭板橋六十自壽

常如作客，何問康寧，但使囊有餘錢，瓮有餘釀，釜有餘糧，取數葉賞心舊紙放浪吟哦，興要闊，皮要頑，五官靈動勝千官，過到六旬猶少；
定欲成仙，空生煩惱，只令耳無俗聲，眼無俗物，胸無俗事，將幾枝隨意新花縱橫穿插，睡得遲，起得早，一日清閑似兩日，算來百歲已多。

女壽通用

慈竹青雲護；靈芝絳雪滋。

麻姑酒滿杯中綠；王母桃分天上紅。

蟠桃子結三千歲；萱草花開八百春。

祥鸞儀羽來三島；天姥峰巒出九霄。

風和璇閣恒春樹；日暖萱幃長樂花。

仙醞香浮紅玉盞；慈雲晴護絳紗幃。

我求懿德終温且惠；
天錫純嘏俾壽而康。

洪範九五福先曰壽；

蟠桃三千年一開花。

香滿萱堂，籌添鶴算；
月明華屋，彩舞萊衣。

日永萱堂，稱觴合醉延齡酒；
春長蓬島，設帨多簪益壽花。

畫荻造歐門，六一堂玉爲樹；
奉觴祝金母，三千年桃始華。

慈竹慶長春，宴啓西池，蟠桃獻壽；
仙花開益壽，漿斟北斗，萱草忘憂。

華幔靄彤雲，弦管齊鳴，好與仙璈合奏；
綺筵浮緑醑，壺觴分列，欣看彩帨高懸。

是女界大導師，共欽胸有紺珠設幃講業；
祝靈娥初度節，喜看階培玉樹舞彩承歡。

彩鳳舞遥天，銜到蟠桃，瑶島長春開壽宴；
青鸞傳吉語，護持慈竹，璇閨日永慶生辰。

蘭閣煦春風，桃熟池西，正婺宿騰輝，嫦星焕采；
蓬壺駐仙景，萱榮堂北，祝靈娥不老，王母長生。

四十歲女壽

相夫教子，壼範久欽，際此欣逢設帨日；
積福延齡，頤期預卜，而今初倍及笄年。

五十歲女壽

設帨遇芳辰，百歲期頤剛一半；
稱觴有萊子，九疇福壽已雙全。

六十歲女壽

六秩華筵新歲月；三遷慈訓大文章。
玉樹階前萊衣競舞；
金萱堂上花甲初周。

七十歲女壽

富壽多男，羡事事從心，也如聖學；
羔羊春酒，願年年拜手，永祝慈齡。

賢淑七旬人，經幾度七二風光，現出麻姑仙草；
導引三摩地，應獨有三千歲月，結成王母蟠桃。

八十歲女壽

萱壽八千，八旬伊始，範福九五，九疇乃全。

賀婚嫁

賀婚娶通用

卿雲扶鳳輦；瑞氣靄龍門。

綉屏金作屋；甲第玉爲堂。
錦瑟調鴻案；瑶笙譜鳳臺。
當門花并蒂；迎户樹交柯。
健筆凌鸚鵡；文簫引鳳凰。
梔綰同心結；蓮開并蒂花。
平圃花枝纏錦帶；横塘蓮子結同心。
玉臺詩賦傳鸚鵡；金谷花枝引鳳凰。
蕭史臺中初引鳳；周姬經上待歌麟。
花添錦上珍珠綴；酒泛杯中琥珀濃。
齊家典則存三禮；經國文章在二南。
翡翠屏開鸞對舞；珊瑚枕穩鳳雙飛。
琪樹穩棲比翼鳥；瑶池深種并頭蓮。
眉柳緑描京兆筆；額梅紅點壽陽妝。
芙蓉鏡映花含笑；玳瑁筵開酒合歡。
香厨初試調羹手；綉閣新添伴讀人。
鞶帨雍容含喜氣；瑟琴静好聽和聲。
百兩盈門光燦爛；三星在户意綢繆。

詩歌荇菜三重句；易玩家人二四爻。
蓮子杯中金谷酒；桃花箋上玉臺詩。
海樓翡翠閑相語；鏡水鴛鴦暖共游。
禮成奠雁人倫始；旦戒鳴鷄内助多。
且看淑女成佳婦；從此男兒已丈夫。
萬字金爐香暈碧；雙輝銀燭影摇紅。
彩筆圖成紅蟢子；綉窗唤起緑鸚哥。
柳暗花明春正半；珠聯璧合影成雙。
合歡共醉黄封酒；度歲新添翠袖人。
美滿姻緣天作合；清和時節日初長。
玉樓冰簟鴛鴦枕；璇閣晶簾鸚鵡杯。
愉色婉容，悦親有道；
嚴氣正性，教婦初來。
造端夫婦，察夫天地；

順其父母，樂爾妻孥。

迨其吉兮，穀我士女；
式相好矣，宜爾室家。

詩歌德音，書稱禧降；
禮先納幣，樂聽和鸞。

太極一圖，肇分奇偶；
聖經十傳，首重修齊。

紅錦裁雲，紫簫吹月；
翠屏引鳳，綉帳棲鸞。

好鳥雙棲，嘉魚比目；
仙葩并蒂，瑞木交枝。

室靄祥光，花團錦簇；
天生佳偶，璧合珠聯。

旭日始旦，乍聞雍雁；
明星有爛，交頸鳴鷄。

鴻案相莊，百年偕老；
鳳占葉吉，五世其昌。

焕乎文章，璠玙其采；
靄然和樂，鸞鳳之音。

珠蕊連枝，九微燈耀；
五榴并蒂，百子圖開。

南國好逑，載歌荇葛；
西階著代，首重蘋蘩。

簫引鳳凰，律回葭管；
杯斟鸚鵡，香挹梅花。
候屆玄英，朱陳結好；
心盟白首，梁孟相莊。
玉軫風熏，琴聲和暢；
金閨日永，花氣氤氳。

嫁女

瑟鼓房中，鳧翔静好；
簫吹樓上，鳳律歸昌。
芼其藻蘋，禮崇著代；
花如桃李，詩咏于歸。

賀生子女

賀生子通用

天上長庚降；人間英物啼。
鳳毛徵國瑞；熊夢兆家祥。
世德馨時滋竇桂；天星聚處見荀龍。
蕙草蘭林，門庭溢喜；
桑弧蓬矢，堂構增輝。
天上石麟，雲呈异彩；
懷中玉燕，夢兆休徵。
積德累仁，先世栽培惟福善；
降麟誕鳳，後昆光耀顯門楣。
瑞世有祥麟，已爲德門露頭角；

丹山翔彩鳳，還從華閥炫文章。

生女

燕姞夢蘭得香草；竇家種桂著雌花。

兆葉鷄飛，門前設帨；祥徵虺夢，掌上擎珠。

哀挽

挽男通用

白馬素車愁入夢；青天碧海悵招魂。

等聞暫別猶驚夢；此後何緣再晤言。

龍隱海天雲萬里；鶴歸華表月三更。

壺中日月三生夢；海上雲山萬里秋。

大雅云亡，空懷往事；哲人其萎，悵望醇風。

未弭前思，頓成永別；追尋笑緒，皆爲悲端。

古稱鄉先生，可祭於社；傳言明德後，必有達人。

世事嘆無常，空留塵榻；音容渺何處，悵望人琴。

元亮宅重來，夜月難尋招鶴徑；少微星遽隕，春雲長黯釣魚磯。

殘月冷空山，辟穀已隨黃石去；寒雲低野渡，束芻空悵素車來。

挽男高年

事業已歸前輩録；典型留與後人看。

史册應登耆舊傳；鄉閭頓失老成型。

完來太璞歸天地；留得和風惠子孫。

雍容揄揚，著於後嗣；

聰明正直，殁而爲神。

齒德俱尊，猶執謙恭維族誼；

形神雖逝，尚留清白著鄉評。

象應少微星，彩落蕭辰悲夜月；

名登耆舊傳，芳留梓里憶春風。

作善不言功，菩薩慈悲常在抱；

全歸竟無恙，神仙富貴幾生修。

挽男壯年

氣數不言仁者壽；性情獨見古之愚。

人間未遂青雲志；天上先成白玉樓。

伯牛顔淵所遭若此；

皋陶庭堅不祀忽諸。

慧業幾生修，梅瘦冰清，如此多才胡不壽；

殘魂九泉渺，楓青月落，縱教入夢也吞聲。

生來犀角崚嶒，競夸裴楷知名，陸機飛譽；

恨煞曇花瞬息，辜負賈生年少，子建才高。

碧落黃泉兩處茫，回首前游，明月難尋蝴蝶夢；
白髮紅顏一堂淚，愴懷此別，殘魂應發杜鵑啼。

春日挽男

蘭渚群游，已悲陳迹；
蓉城仙去，空仰遺型。

大雅云亡，緑水青山誰作主；
高風安仰，落花啼鳥總傷神。

聚首幾何時，奈堪雲樹詩成，此別千古；
傷心難自已，且藉屠蘇酒熟，聊酹一杯。

噩耗傳來，正細雨杏花，酒熟江南人已渺；
清芬莫挹，望暮雲春雨，詩吟渭北我何堪。

夏月挽男

梁伯鸞熱不因人，豈別尋世界清凉，君爲逃暑；
向子平願猶未了，竟從此死生契闊，我欲招魂。

聚首昔言歡，社結白蓮，猶憶金樽飛竹葉；
傷心今永訣，樓空黃鶴，愁聽玉笛落梅花。

秋日挽男

秋色荒凉，喬陰莫仰；
愁雲黯淡，仙馭難回。

肅氣苦相侵，紅樹青山都慘淡；
傷心來作吊，素車白馬劇悲哀。

明月不長圓，桂子香時人已逝；
高風安可仰，菊花開後我方來。

冬日挽男

回首溯前徽，一代清風光梓里；
知心捐舊館，滿天明月冷梅花。

寥落數晨星，鶴駕雲中偏去遠；
凄凉憶舊雨，蟀吟床下不堪聽。

名人名聯

宋代

雪竹垂寒翠；風梅落晚春。
——林逋

宿雨松篁色；新晴燕雀聲。
——范成大

暖日黃金柳；光風白玉梅。
——范成大

老鶴雲間意；長松雪外姿。
——楊萬里

清霜紅碧樹；白露紫黃花。
——楊萬里

日長鶯語久；風定絮飛低。
——陸　游

梅殘香更遠；草動緑初匀。
——陸　游

雪晴天淺碧；春動柳輕黄。
——陸　游

人静魚自躍；風定荷更香。
——陸　游

飛花點書册；蝶戲游几研。
——陸　游

曉晴千樹緑；新雨半池渾。
——徐　璣

柳密鶯無影；泥新燕有痕。
——徐　璣

林下有清福；塵中無悟人。
——薛　嵎

佩韋遵考訓；晦木謹師傳。
——朱　熹

學博才兼裕；心平氣自温。
——張　鎡

人事有憂樂；山光無古今。
——司馬光

花香高閣近；書凉小樓深。
——文　昭

臨事知閑貴；澄心覺道尊。
——魏野

葉新林換綠；花落地生香。
——真山民

風竹有聲畫；石泉無操琴。
——真山民

山靜竹生韻；池清蘭自香。
——李彌遜

雲開千里月；風動一天星。
——張斛

花明千嶂曉；雲暖一山春。
——王銍

山雪銀屏曉；溪梅玉鏡春。
——王銍

風撼梅花雨；霧籠楊柳烟。
——戴復古

芳草垂柳地；和風麗日天。
——許月卿

靜賞興無盡；劇談歡有餘。
——文彥博

日月兩輪天地眼；詩書萬卷聖賢心。
——朱熹

碧澗生潮朝至暮；青山如畫古猶今。
——朱熹

小留詩客三杯酒；
試看山園幾處花。
——楊萬里

春回雨點溪聲裏；
人醉梅花竹影中。
——楊萬里

雲開遠嶂碧千疊；
雨過落花紅半溪。
——真山民

烟波跌宕紅塵外；
風月縱横玉笛中。
——黄庭堅

冷硯欲書先自凍；
孤燈何事獨成花。
——蘇　軾

展開風月添詩料；
裝點江山歸畫圖。
——李華岳

山臨古畫開當户；
蝸學新書篆滿牆。
——張至龍

水底日爲天上日；
眼中人是面前人。
——楊大年

静中見得天機妙；
閑裏回觀世路難。
——戴復古

元代

松篁團秀色；蘭蕙吐幽馨。
——黄庚

風暖柳仍綠；春晴花更濃。
——柯九思

曆添新歲月；春滿舊山河。
——葉顒

春麗山河壯；風清草木榮。
——舒頔

雲生三秀草；風動萬年枝。
——陳肅

因山以崇德；觀水欲知源。
——周砥

林深禽鳥樂；塵遠竹松清。
——吴鎮

乳鹿依花卧；幽禽過竹啼。
——王冕

晴嵐拂書幌；飛花浮茗碗。
——王蒙

墨菊清秋色；金蓮細雨香。
——袁桷

光依東壁圖書府；心在西湖山水間。
——楊瑀

古墨輕磨滿几香；
硯池新浴照人光。
——趙孟頫

柳陰分綠籠琴几；
花片飛紅點硯池。
——黄庚

詩篇陶寫清秋景；
書册消磨白日閑。
——黄庚

開門草色侵書幌；
隔水松聲和玉簫。
——倪瓚

温火試香删舊譜；
汲泉煮茶續遺經。
——陶宗儀

江山如畫知豪杰；
風月無私慰寂寥。
——王冕

明代

詩情秋水遠；畫意晚山明。
——沈周

圃烟芝草秀；門雨杏花春。
——沈周

得雨草皆滿；無風花自閑。
——沈周

妍英弄芳意；柳色含春姿。
——文徵明

土潤先滋草；梅晴薄試花。
——文徵明

雨氣露書濕；茶烟隔竹清。
——張祥鳶

風雲三尺劍；花鳥一床書。
——左光斗

香階花影覆；芳樹鳥聲頻。
——王九思

一泓春水疾；十里柳風和。
——袁中道

書就松根讀；琴來石上彈。
——張羽

梧桐半階月；楊柳一簾風。
——陳淳

人心如海水；世路有風波。
——彭炳

義氣凌秋日；高懷亘海雲。
——羅公叔

清廉源節儉；貪殘始華侈。
——寧家琳

花落縱橫雨；鶯啼淡蕩春。
——楊基

水暖知魚樂；林幽識蕙香。

——王　賓

緑垂烟外柳；紅綻雨中花。

——謝　復

鶴舞春池月；鶯啼碧樹風。

——區大相

香霧浮高樹；祥雲麗碧空。

——金幼孜

雨晴瓜蔓緑；風暖菜花香。

——王　紱

鐵肩擔道義；辣手著文章。

——楊繼盛

墨池新水籠鵝帖；

彩筆清風宿鳳枝。

——沈　周

取月用風無盡藏；

傍花隨柳足閑心。

——沈　周

兩岸晚風黄鳥樹；

一陂春水白鷗天。

——高　啓

千林映日鶯亂啼；

萬樹圍春燕雙飛。

——唐　寅

日暖游魚蘋葉舞；
烟藏語鳥柳條勻。
——唐時升

清風有意難留我；
明月無心自照人。
——王夫之

充海闊天高之量；
養先憂後樂之心。
——任　環

澗雪壓多松偃蹇；
岩泉滴久石玲瓏。
——史可法

鬥酒縱觀廿四史；
爐香靜對十三經。
——史可法

紅孩兒騎馬過橋；
赤帝子斬蛇當道。
——于　謙

國朝謀略無雙士；
翰苑文章第一家。
——朱元璋

天爲補貧偏與健；
人因見懶誤稱高。
——陳繼儒

霜松雪柏澗壑邊；
紫芝玉樹階庭前。
——文徵明

矮紙凝霜供小草；
淺甌吹雪試新茶。
——文徵明

筆硯更償閑裏債；
茗熏聊結静中緣。
——文徵明

每聞善事心先喜；
得見奇書手自抄。
——祝允明

未必串關别名教；
須知書户孕江心。
——徐　渭

春隨香草千年艷；
人與梅花一樣清。
——徐霞客

清代

文章千古事；風雨十年人。
——伊秉綬

官閑讀書樂；親健得天多。
——伊秉綬

清詩宗韓柳；嘉酒集歐梅。
——伊秉綬

翰墨因緣舊；烟雲供養宜。
——伊秉綬

風鳴雲外鐘；鶴宿千年松。
——楊　衡

桃花一夜雨；春水數帆風。
——張　岡

歲首百事忘；天晴萬花喜。
——袁　枚

柳岸鳴蟬急；荷風浴鳥輕。
——朱彝尊

慷慨談世事；卓犖觀群書。
——齊彦槐

靈石一千尺；天花百億年。
——康有爲

恪勤在朝夕；懷抱觀古今。
——康有爲

澄江静如練；長嘯氣若蘭。
——李世卓

老拳搏古道；兒口嚼新書。
——金聖嘆

半夜二更半；中秋八月中。
——金聖嘆

三絶詩書畫；一官歸去來。
——鄭　燮

室雅何須大；花香不在多。
——鄭　燮

鶯促花前句；鵝窺池上書。
——張　住

蝶來風有致；人去月無聊。
——趙仁叔

畫中千嶂霽；詩裏一江秋。
——吴學炯

月白人千里；天青雁一行。
——毛彬

夜深風弄竹；人静月當樓。
——楊中訥

木葉千村雨；蘆花兩岸風。
——俞佩

花寒桐院雨；茶沸石泉雲。
——廖景文

蟲聲千葉雨；月[illegible]湖烟。
——吴錫麒

人行山翠裏；秋在水聲中。
——趙翼

有守惟從儉；無才更戒盈。
——嵇璜

人間歲月閑難得；天下知交老更親。
——王文治

古迹雖陳猶在目；春風相遇不知年。
——王文治

好書不厭看還讀；
益友何妨去復來。
——毛　懷

紅友猶分賢聖品；
緑卿看長子孫枝。
——鄧石如

不除庭草留生意；
愛養盆魚識化機。
——永　瑆

精神到處文章老；
學問深時意氣平。
——石韞玉

月白風清其有意；
斗量車載已無名。
——許宗彥

芳草碧深春雨後；
桃花紅到夕陽邊。
——陳　襄

秋風古道題詩瘦；
落日平原縱馬豪。
——劉可毅

菊花潭裏人同壽；
揚子江頭海不波。
——阮　元

萬水地間終是一；
諸山天外自爲群。
——何紹基

西山載酒雲生屐；
南浦尋梅雪滿舟。
——何紹基

游者當知山所向；
静時猶有水能聽。
——何紹基

壽如金石佳辰好；
人與梅花淡結鄰。
——曹秉鈞

種樹樂培佳子弟；
擁書權拜小諸侯。
——沈德潛

揀茶爲款同心友；
築室因藏善本書。
——張廷濟

碧露新滋三秀草；
紫雲長護九如松。
——張廷濟

爽藉清風明藉月；
動觀流水静觀山。
——張維屏

從來名士能評水；
自古高僧愛鬥茶。
——鄭燮

汲來江水烹新茶；
買盡青山當畫屏。
——鄭燮

刪繁就簡三秋樹；
立异標新二月花。
——鄭　燮

長空有月明兩岸；
秋水不波行一舟。
——林則徐

師友肯臨容膝地；
兒孫莫負等身書。
——林則徐

新雨客疏塵鎖几；
故山秋淡樹藏樓。
——趙之謙

立定脚跟樹起脊；
展開眼界放平心。
——姚元之

避席畏聞文字獄；
著書都爲稻粱謀。
——龔自珍

緑樹春暖欣魚躍；
翠帳風和見鶴翔。
——徐義和

九頂雲霞披霧出；
三峨風雨過江來。
——袁之秘

追摹古人得真趣；
別出心意成一家。
——鐵　保

潑墨爲山皆有意；
看雲出岫本無心。
——陶紹原

天氣乍晴花滿樹；
人家久住燕雙飛。
——梁同書

清潭三尺竹如意；
宴坐一枝松養和。
——梁同書

勸子勿爲官所腐；
知君欲以詩相磨。
——梁章鉅

奇松詭石天然净；
澗草山花自在芳。
——弘曆

舊書細讀猶多味；
佳客能來不費招。
——黄鉞

暫借荆山棲彩鳳；
聊將紫水活蛟龍。
——馮雲山

時御天風跨鸞鳳；
或入碧海掣鯨魚。
——康有爲

萬山不隔中秋月；
千年復見黄河清。
——左宗棠

澗道餘寒歷冰雪；
洞口經春長薜蘿。
——左宗棠

欲除煩惱須無我；
歷盡艱難好作人。
——俞 樾

前輩典型，秀才風味；
華嵩品格，江海文章。
——王文治

行而不捨，若驥千里；
納無所窮，如海百川。
——馮 煦

東壁圖書，西園翰墨；
南華秋水，北苑春山。
——劉熙載

樵歌一曲，衆山皆響；
松雲滿耳，萬壑争流。
——李子仙

朗月照人，如鑒臨水；
時雨潤物，自葉流根。
——林則徐

海納百川，有容乃大；
壁立千仞，無欲則剛。
——林則徐

良魚在淵，小魚在渚；
土治曰平，水治曰清。
——趙之謙

蘭有群清，竹無一曲；
山同人朗，水與情長。
——翁同龢

守獨悟同，別微見顯；
辭高居下，置易就難。
——翁同龢

欺人如欺天，毋自欺也；
負民即負國，何忍負之。
——魏向恒

讀書好，耕田好，説好就好；
創業難，守成難，知難不難。
——吴敬梓

眼裏有餘閑，登山臨水觴咏；
身外無長物，布衣素食琴書。
——楊沂孫

染成緑萼初華，好覺暗香入畫；
偶得古人精册，較勝春月在庭。
——王鑒

下筆千言，正桂子香時，槐花黃後；
出門一笑，看西湖月滿，東浙潮來。
——阮元

茶烟乍起，鶴夢未醒，此中得少佳趣；
高峰入雲，清流見底，何處更着點塵。
——朱彝尊

隔秋水一湖，看岸花送客，檣燕留人，此境原非异土；
共明月千里，記夜醉長沙，曉浮湘水，相逢好話家山。
——陶澍

近現代

種樹如培佳子弟；
卜居恰對好湖山。
——馬君武

安危他日終須仗；
甘苦來時要共嘗。
——孫中山

秋水爲神玉爲骨；
詞源如海筆如椽。
——黄興

夜雨長深三尺水；
春風新上數枝藤。
——蔡元培

雲龍搏浪飛三級；
天馬行空載五華。
——方志敏

立志不隨流俗轉；
留心學到古人難。
——葉恭綽

但哦松樹當今事；
願與梅花結後緣。
——楊度

絶交流俗因耽懶；
出賣文章爲買書。
——郁達夫

兩三竿竹皆秋色；
千萬疊山有雨容。
——林紓

沙村白雪仍含凍；
山縣紅梅已放春。
——胡小石

澤色繪成新世界；
東風吹遍舊山河。
——郭沫若

國有干城扶赤幟；
民之喉舌發黄鐘。
——郭沫若

胸藏萬匯憑吞吐；
筆有千鈞任歙張。
——郭沫若

萬方春色情中注；
千頃湖光筆端流。
——郭沫若·于立群

有關家國書常讀；
無益身心事莫爲。
——徐特立

每向空蒼追大雅；
狂臚文獻耗中年。
——齊燕銘

長嘯一聲，山鳴谷應；
舉頭回顧，海闊天空。

——范當世

楊柳樓臺，春風人面；
蘭苕翡翠，初日芙蓉。

——吴昌碩

刊石惟餘西漢文字；
行歌好約高陽酒徒。

——吴昌碩

抗心希古，任其所尚；
含毫命素，動必依真。

——葉恭綽

脣亡齒寒，輔車相依；
披髮纓冠，衆志成城。

——劉少奇

言行中和，用綏福佑；
文史游觀，以遺歲年。

——商承祚

人生得一知己足矣；
斯世當以同懷視之。

——魯迅

杏花疏雨，楊柳輕風，酒興淘濃春色飽；
沫水澄波，峨眉滴翠，仙人風物此間多。

——郭沫若

詩文集聯

江山助磅礴（陸　堅）；
文物照光輝（許景光）。

閱古宗文舉（盧　綸）；
臨風懷謝公（李　白）。

誰將佳句并（楊巨源）；
真與古人齊（李　白）。

智勇冠當代（盧　湛）；
卓犖觀群書（左　思）。

朗抱開曉月（孟　郊）；
高文激頹波（韋應物）。

柳深陶令宅（李　白）；
月静庾公樓（杜　甫）。

荷鋤修藥圃（王　維）；
煮茗就花欄（喻　鳧）。

暗水流花徑（杜　甫）；
清風滿竹林（崔　峒）。

隔沼連香芰（杜　甫）；
緣岩覆緑蘿（李德裕）。

頗得湖山趣（劉長卿）；
不知城市喧（吴　筠）。

高松來好月（李　白）；
野竹上青霄（杜　甫）。

松風清耳目（孟　郊）；
蕙氣襲衣襟（張九齡）。

遠意發孤鶴（蘇　軾）；
恩波起涸鱗（杜　甫）。

得句忍不吐（蘇　軾）；
好古意所耽（杜　甫）。

草聖秘難得（杜　甫）；
詩人思無邪（蘇　軾）。

結念屬霄漢（謝靈運）；
委懷在琴書（陶　潛）。

新詩如洗出（蘇　軾）；
好鳥不妄飛（杜　甫）。

葦管書柿葉（蘇　軾）；
瓦瓶擔石泉（賈　島）。

逢人覓詩句（元好問）；
留客聽山泉（王　維）。

典墳探奥旨（錢　起）；
詩禮挹餘波（盧　綸）。

道爲詩書重（杜　甫）；
心緣啓沃留（高　適）。

潮平兩岸闊（王　灣）；
花明五嶺春（岑　參）。

文章負奇色（陳子昂）；
事業富清機（杜　甫）。

松柏有本色（劉公干）；
園林無俗情（陶　潛）。

文章自娛戲（韓　愈）；
忠義老研磨（蘇　軾）。

奇書窺鳥迹（陸　游）；
賜茗出龍團（蘇　軾）。

曠懷掃氛翳（杜　甫）；
公論懸日星（元好問）。

上客能論道（王　維）；
虛懷只愛才（杜　甫）。

各勉日新志（謝靈運）；
能爲歲寒姿（蘇　軾）。

堅姿聊自傲（蘇　軾）；
素履期不渝（權德輿）。

興來每獨往（王　維）；
道集由中虛（蘇　軾）。

長歌白石澗（蘇　軾）；
高卧香山雲（元好問）。

虛舟任所適（米　芾）；
飛鳥相與還（陶　潛）。

鋤荷覘泉脉（王　維）；
移石動雲根（韋應物）。

積照涵德鏡（孟　郊）；
素懷寄清琴（權德輿）。

鵬鶚厲羽翼（儲光羲）；
龍鳳炳文章（李 白）。

即事已可悦（杜 甫）；
賞心還自怡（劉方平）。

名香播蘭蕙（岑 參）；
妙墨揮岩泉（張九齡）。

深情托瑶瑟（貫 玉）；
逸興横素襟（李 白）。

跌宕孔文舉（儲光羲）；
風流賀季真（李 白）。

雅琴飛白雪（杜正倫）；
逸翰懷青霄（高 適）。

結交指松柏（孟浩然）；
述作凌江山（李 白）。

學業醇儒富（杜 甫）；
文章大雅存（韓 愈）。

草木含清色（儲光羲）；
岩廊挹大猷（高 適）。

知音在霄漢（郎士元）；
高步躡華嵩（孟浩然）。

江山澄氣象（高 適）；
冰雪净聰明（杜 甫）。

汲古得修綆（韓 愈）；
開懷暢遠襟（褚 亮）。

文章輝五色（李　白）；
心迹喜雙清（杜　甫）。

披雲煉瓊液（李群玉）；
坐月觀寶書（李　白）。

酒香留客在（白居易）；
詩好帶風吟（姚　合）。

溪近雲生石（姚　合）；
窗虛日弄紗（李商隱）。

心同孤鶴静（呂　渭）；
節效古松貞（沈佺期）。

接垣分竹徑（張　説）；
微路入花源（儲光義）。

丘壑趣如此（錢　起）；
鸞鶴心悠然（張九齡）。

苔石隨人古（張九齡）；
山花拂面香（李　白）。

澗松寒轉直（王　績）；
碧海闊愈澄（杜　甫）。

徑隱千重石（杜　甫）；
園開四季花（周　繇）。

野翠生松竹（李　亦）；
潭香聞芰荷（孟浩然）。

短歌能駐日（宋之問）；
閑坐但焚香（王　維）。

端居喜良友（韋應物）；
獨立占古風（孟郊）。

聲華滿冰雪（高適）；
節操方松筠（儲光羲）。

名香播蘭蕙（岑參）；
雕藻邁瓊琚（褚遂良）。

墨研清露月（李洞）；
琴響碧天秋（許渾）。

地迥雲偏白（高適）；
亭香草不凡（張佑）。

美花多映竹（杜甫）；
喬木自成林（孟浩然）。

聽琴知道性（姚合）；
避酒怕狂名（李德裕）。

翰墨緣情制（孟郊）；
山林引興長（杜甫）。

鳳栖常近日（錢起）；
鵲夢不離雲（盧綸）。

采菊東籬下（陶潛）；
讀書秋樹根（杜甫）。

舉杯邀明月（李白）；
蕩胸生層雲（杜甫）。

大賢秉高鑒（孟郊）；
上德表鴻名（虞世南）。

天與三臺坐（張九齡）；
儒開百代宗（司空曙）。

謀猷歸哲匠（王　維）；
詞賦引文雄（李隆基）。

羽儀呈鸑鷟（劉禹錫）；
藻思焕瓊琚（權德輿）。

緑樹村邊合（孟浩然）；
清泉石上流（王　維）。

明月松間照（王　維）；
春風柳上歸（李　白）。

野雲低渡水（杜　甫）；
鄉樹密藏青（余　靖）。

躡石苔黏屐（方　回）；
弄花香滿衣（于良史）。

明月照積雪（顧愷之）；
平疇交遠風（陶　潛）。

静坐觀衆妙（李　白）；
端居味天和（朱　熹）。

開軒面場圃（孟浩然）；
拾穗許兒童（杜　甫）。

麟筆删金篆（盧　綸）；
霓裳侍玉除（王　維）。

一經傳舊德（張　説）；
八座起文昌（李隆基）。

雲山起翰墨（王珉）；
星斗焕文章（杜甫）。

山光懸聖藻（沈佺期）；
一氣轉鴻鈞（杜甫）。

松篁調琴韻（鄭谷）；
蘭芷襲幽衫（楊師道）。

長劍一杯酒（李白）；
高樓萬里心（貫至）。

雨餘林氣静（李嶠）；
水静墨池寒（駱賓王）。

無絲竹之亂耳（劉禹錫）；
樂琴書以消夏（陶潛）。

我書意造本無法（蘇軾）；
此老胸中常有詩（陸游）。

萬卷書藏宜子弟（黄庭堅）；
三田聚寶真生涯（蘇軾）。

青鷗白鷺定吾友（黄庭堅）；
緑竹高松無俗塵（劉公是）。

天樂園林負城郭（王安石）；
先安筆硯對溪山（陸游）。

光芒六合無泥滓（杜甫）；
濡染大筆何淋漓（李商隱）。

鐘鼎山林各天性（杜甫）；
風流儒雅亦吾師（杜甫）。

文章清逸世少比（蘇　轍）；
胸次廣博天所開（王安石）。

詩墨淋漓不負酒（林景熙）；
江山雄麗洵宜人（蘇　轍）。

寒香嚼得成詩句（方　岳）；
新月邀將入酒杯（張　耒）。

川源繚繞浮雲外（盧　綸）；
臺榭參差積翠間（薛　逢）。

窗含遠樹通書幌（李　賀）；
風颭殘花入硯池（高九萬）。

松持節操溪澄性（李　洞）；
山展屏風花夾籬（李　白）。

陽羨春茶瑶草碧（錢　起）；
蘭陵美酒郁金香（李　白）。

勛業定應歸鼎鼐（徐　寅）；
文章誰得到罘罳（貫　休）。

三千士裏文章伯（盧　綸）；
十二樓前侍從臣（許　渾）。

瑞草維承天上露（王　建）；
綉衣卻照鏡中花（方　幹）。

更傍紫微瞻北斗（薛　逢）；
還將彩服咏南陔（蘇　頲）。

七德龍韜開玉帳（駱賓王）；
三千犀甲擁朱輪（陳　陶）。

楓葉荻花秋瑟瑟（白居易）；
浴鳧飛鷺晚悠悠（杜　甫）。

眼明小閣浮烟翠（蘇　軾）；
身在荷香水影中（楊萬里）。

萬壑松風和澗水（楊萬里）；
十分烟雨簇魚鄉（林　逋）。

盡接簾旌延竹色（蔡　襄）；
想銜杯酒問花期（陸　游）。

酌酒賦詩相料理（朱　松）；
種花移石自殷勤（王安石）。

幾多怪石全勝畫（詹中正）；
無限好山都上心（余紫芝）。

林罅忽明知月上（陸　游）；
竹梢微響覺風來（真山民）。

舊書不厭百回讀（蘇　軾）；
佳客來時一座傾（陶　潛）。

除卻讀書無所好（陸　游）；
恍如造物與同游（戴復古）。

彩筆只宜天上用（貫　休）；
五雲多繞日邊飛（鮑　溶）。

萬卷圖書天祿上（李　白）；
四時雲物月華中（許　渾）。

花迎彩服離鶯谷（羅　隱）；
閣倚晴天見鳳巢（劉禹錫）。

蝶銜花蕊蜂銜粉（李商隱）；
犀辟塵埃玉辟寒（李商隱）。

藏書萬卷可教子（黃庭堅）；
買地十畝皆種松（梅堯臣）。

日消殘醉閑吟裏（朱　熹）；
夢入青藤古木間（朱　熹）。

傍花行酒發清唱（蔡　襄）；
解帶量松長舊圍（陸　游）。

文章縱橫乃如此（黃庭堅）；
金石刻畫臣能爲（李商隱）。

憶事懷人兼得句（李商隱）；
引杯看劍坐生風（蘇　軾）。

自把新詩教鸚鵡（陸　游）；
戲拈禿筆掃驊騮（杜　甫）。

詩翁愛酒常如渴（蘇　軾）；
草堂少花今欲栽（杜　甫）。

文章或論到閫奥（梅堯臣）；
笑談與世殊臼科（黃庭堅）。

名高北斗星辰上（王廷珪）；
詩在千山烟雨中（張孝祥）。

繅成白雪三千丈（王安石）；
净掃清風五百間（蘇　軾）。

蹙踏鮑謝跨徐庾（蘇　軾）；
網羅秦漢近唐虞（傅　蔡）。

别裁僞體親風雅（杜　甫）；
遍謁名山適性靈（劉禹錫）。

詩情逸似陶彭澤（劉禹錫）；
勛業終歸馬伏波（杜　甫）。

守道還如周柱史（杜　牧）；
著書曾學鄭司農（杜　甫）。

曲江山水聞來久（韓　愈）；
庾信文章老更成（杜　甫）。

千首新詩一竿竹（陸　游）；
墻西明月水東亭（白居易）。

一家喜氣如春釀（蘇　軾）；
小築幽棲與拙宜（陸　游）。

酒令雖嚴莫嗔虐（黄庭堅）；
草書非學聊自娱（蘇　軾）。

春工遇物初不擇（陸　游）；
酒聖於君亦庶幾（杜　牧）。

花房露透紅珠落（温庭筠）；
桂樹風吹玉簡寒（曹　唐）。

江湖萬里水雲闊（林景熙）；
草木一溪文字香（汪元亮）。

玉琴瑶瑟倚天半（楊萬里）；
白波青嶂非人間（蘇　軾）。

園中草木春無數（蘇　軾）；
湖上山林畫不如（林如靖）。

春能蘊藉如相識（方　岳）；
風入襟懷只自知（方　岳）。

四野緑雲籠稼穡（杜荀鶴）；
一庭紅葉掩衡茅（雍　陶）。

松間明月長如此（宋之問）；
身外浮雲何足論（白居易）。

常愛此中多勝事（劉長卿）；
更於何處學忘機（周　樸）。

閑看秋水心無事（皇甫冉）；
静聽天和興自濃（劉禹錫）。

功名待寄凌烟閣（杜　牧）；
霄漢常懸捧日心（錢　起）。

瑞氣迴浮青玉案（耿　韋）；
清名合在紫微天（白居易）。

每逢佳士輒心許（陸　游）；
不辨仙源何處尋（王　維）。

合沓聲名動寥廓（杜　甫）；
縱横逸氣走風雷（李　白）。

雲生澗户衣裳潤（白居易）；
窗近花陰筆硯香（黄　庚）。

林花經雨香猶在（寇　準）；
芳草留人意自閑（歐陽修）。

已辦青鞋爲老圃（朱　熹）；
細傾白墮賦新詩（陳與義）。

山泉釀酒香仍冽（楊萬里）；
芳草留人意自閑（歐陽修）。

要知作詩如作畫（戴復古）；
但願對竹兼對花（梅堯臣）。

供家米少因添鶴（陸游）；
送酒人多不典衣（陸游）。

古來才大難爲用（杜甫）；
老去詩名不厭低（陸游）。

四時最好是三月（韓渥）；
萬里誰能訪十洲（李商隱）。

嵐氣温衣雲葉晚（王初）；
春風拂檻露華濃（李白）。

坐牽蕉葉題詩句（方干）；
醉折花枝當酒籌（白居易）。

金鈴玉佩相磋切（李紳）；
珠蕊瓊花鬥剪裁（王初）。

閉户著書多歲月（王維）；
揮毫落紙如雲烟（杜甫）。

冰生於水，而寒於水（荀子）；
雲出其山，復雨其山（《詩疏》）。

如此風神，惟須飲酒（《北史》）；
既佳光景，當是劇棋（《南史》）。

山水有靈，亦驚知己（《水經注》）；
性情所得，未能忘言（庾信）。

平理如衡，照辭若鏡（《文心雕龍》）；
動墨橫錦，摇筆散珠（《文心雕龍》）。

論史可聽，談玄愈默（宋之問）；
幽居少事，野性多閑（王　勃）。

立行可模，置言成範（沈　約）；
徽猷克著，聲績聿宣（駱賓王）。

鳥轉歌來，花濃雪聚（庾　信）；
雲隨竹動，月共水流（陳叔寶）。

休風曉逸，德星夕映（謝　莊）；
祥禽輩作，瑞木朋生（鮑　照）。

溽露飛甘，舒雲結慶（謝　莊）；
貞筠抽箭，潤璧懷山（王　融）。

芝洞秋房，檀林春乳（庾　信）；
桂深冬燠，松疏夏寒（庾　信）。

德有其身，禮不愆器（顔延年）；
玉韞庭照，蘭生室香（庾　信）。

閉户自精，開卷有益（任彦昇）；
垂露在手，清風入懷（柳子厚）。

脂粉簡編，冠纓圖史（李商隱）；
糠粃禮義，錙銖功名（王　績）。

如筠斯清，比蕙又暢（宋　儋）；
逢岑愛曲，值石憐攲（姜　質）。

綴響蘭深，緝言瓊秘（謝　莊）；
沉思泉涌，華藻雲浮（卞　蘭）。

薜引山茵，荷抽水蓋（王　勃）；
琴號珠柱，書名玉杯（庾　信）。
無江海而閑，不導引而壽（莊　子）；
乃邦家之光，非閭里之榮（歐陽修）。
鏡文虹於綺疏，浸蘭泉於玉砌（王　融）；
握珠胎而冠月，振瓊樹而韜霞（王　勃）。
玉樹以珊瑚作枝，珠簾以玳瑁爲柙（徐　陵）；
赤雁與斑麟俱下，醴泉與甘露同飛（庾　信）。

陶潛詩句集聯

神淵寫時雨；平疇交遠風。
情通萬里外；人爲三才中。
盥濯息檐下；舫舟蔭門前。
衆蟬無歸響；來雁有餘聲。
採菊東籬下；種松長江邊。
清氣澄餘滓；陵岑聳逸峰。
丈夫志四海；古人惜寸陰。
春秋多佳日；園林無俗情。
清飆矯雲翮；弱湍馳文舫。
歲月有常御；山川無改時。
嚴霜結野草；微雨洗高林。
素月出東嶺；寒雲没西山。
春燕應節起；鳴雁乘風飛。

黄庭堅詩句集聯

石坳爲樽酌花鳥；鑾溪大硯磨松烟。

心持鐵石要長久，胸吞雲夢略從容。
周鼎湯盤見蝌蚪，深山太澤生龍蛇。
風流豈落正始後，探道欲渡羲皇前。
紙窗竹屋深自暖，石爐茶鼎暫來同。
詩罷春風榮草木，書成快劍斫蛟龍。
眉宇之間見風雅，笑談與世殊臼科。
清坐使人無俗氣，虛堂盡日轉溫風。

蘇軾詩句集聯

名隨士人隱，心與古佛閑。
官如草木吾知土，舌有風雷筆有神。
勸子勿爲官所腐，知君欲以詩相磨。
平生當着幾兩屐，此墨足支三十年。
詩筆離騷亦時用，文章爾雅稱吾宗。
井有丹砂水長赤，筆落鍾王硯不知。
雄心欲搏南澗虎，野性猶同縱壑魚。
鷄豚异日爲同社，魚鳥猶然笑我頑。

且向東皋伴王績，欲師老圃問樊遲。
雨過潮平江海碧，風高月暗水雲黃。
三吴行盡千山水，一詩換得兩尖團。
忘懷杯酒逢人共，無價青山有我賒。
清風卷地收殘暑，明月入户尋幽人。
我懷汝陰六一老，氣壓鄰侯三萬簽。
獨立千載誰與友，往看萬壑争交流。
芳草不鋤當户長，明月未出群山高。
多情明月邀君共，無主荷花到處開。
臺閣山林本無异，魚鳥江湖只自知。
狂吟醉舞知無益，累盡身輕志莫違。
囊簡久藏蝌蚪字，詩壇欲斂鸛鵝軍。
沽酒獨教陶令醉，着鞭從使祖生先。
青山有約常當户，秋水爲神不染塵。
花時千圃堆紅錦，世間萬事寄黃粱。
欲過叔度留終日，須信淵明是可人。
無數雲山供點筆，滿江風月不論錢。

呼吸湖光飲山緑；卷藏天禄包石渠。

眼净塵空無可掃；水清石瘦便能奇。

寂歷疏松欹晚照；招邀明月到樽前。

清詩已入新歌舞；絶品難逢舊畫圖。

瓦鈎卻勝黄金注；羽扇斜揮白葛巾。

規模簡古人争看；豪氣峥嶸老不除。

夢裏花仙覓奇句；山中木客解吟詩。

書似西臺差少肉；詩如東野不言寒。

風來震澤帆初飽；春到江南花自開。

錦囊玉軸來無趾；絳闕雲臺總有名。

夢中舊事時一笑；醉裏題詩字半斜。

江上青山如削鐵；水中明月卧浮圖。

長笑右軍稱聖草；要知摩詰是文殊。

未肯將鹽下蒓菜；爲君援筆賦梅花。

大木百圍生遠籟；明窗一榻共秋閑。

著書多暇真良計；妙意有在終無言。

樽前白酒傾雲液；澗底松根斫雪腴。

勝概直應吟不盡；老來專以醉爲鄉。

讀遍牙簽三萬軸；坐想蓬山十二秋。

長江繞郭知魚美；小軒臨水爲花開。

收拾小山藏社瓮；安排春事滿幽欄。

米芾詩句集聯

天分秋暑資吟興；晴獻溪山入醉哦。

品藥不以甘爲上；製桐乃於焦亦宜。

旖旎雲錦秋花起；清照湖山皎月圓。

寶晋齋前題洞石；垂虹亭下破金柑。

路不拾遺知政肅；野多滯穗是時和。

元好問詩句集聯

且從少傅論中隱；擬向靈君乞上池。

白雪任教春事晚；貞松惟有歲寒姿。

世外原無衆香國；花陰真是小華胥。

撐腸文字五千卷；試手清涼第一篇。

張顛草聖雄千古，焦遂高談驚四筵。
空谷自能生地籟，吟毫端合染溪光。
七重寶樹圍金界，千里名山入酒船。
摇筆尚堪凌浩蕩，題詩端爲發幽妍。
玉樹瑶池照春色，物華天寶借餘光。

司空圖《詩品》集聯

碧苔芳暉，如有佳話；
緑杉野屋，良殫美襟。

隔溪漁舟，幽鳥相逐；
亂山喬木，奇花初胎。

妙機其微，是有真宰；
遠引莫至，忽逢幽人。

娟娟群松，上有飛瀑；
蕭蕭落葉，人聞清鐘。

紅杏在林，疏雨相過；
碧桃滿樹，清露未晞。

神化攸同，控物自富；
性情所至，着手成春。

水流花開，晴雪滿竹；
柳陰路曲，過雨採蘋。

明月雪時，金樽酒滿；
風日水濱，碧山人來。

流鶯比鄰，必有佳遇；
晴雪滿竹，冷然希音。

畫橋碧陰，觀化非禁；
緑杉野屋，幽行爲遲。

蓄素守中，所思不遠；
返虛入渾，其聲愈稀。

與古爲新，載瞻星氣；
其曰可讀，如寫陽春。

落花無言，幽鳥相逐；
可人如玉，清風與歸。

脱帽看詩，生氣遠出；
杖藜行歌，妙造自然。

如氣之秋，窈窕深谷；
猶春於緑，荏苒在衣。

夜渚月明，所思不遠；
柳陰路曲，妙造自然。

畫橋碧陰，明漪絶底；
緑杉野屋，好風相從。

小窗多明，使我久坐；
入門有喜，與君笑言。

左酒右漿，喜疊其室；
伯歌季舞，福爲我根。

《焦氏易林》句集聯

砥德礪才，爲國藩輔；
布政施惠，生我福人。

論仁議福，保我金玉；
達性任情，樂其安閑。

大福允興，主母喜舞；
長樂受庇，使君延年。

鵲笑鳩舞，大喜在後；
麟子鳳雛，和氣所居。

合匏同牢，宴樂有序；
駕福乘喜，昏悦宜家。

桂柏棟梁，麟鳳堂室；
雍涼朱草，文山紫芝。

合和履中，駕福乘喜；
年豐歲熟，政樂民仁。

道德神仙，增榮益譽；
福禄歡喜，長樂永康。

龔自珍句集聯

孰爲大人，百年擔負；
我有髦士，萬古才華。

有限狂名，斷無人覺；
平生秋思，且自幽尋。

六曲春星，二分明月；
一帆冷雨，半壁青山。

安排疏密，幾堆竹素；
商量肥瘦，二頃梅花。

南國評花，西洲吊舊；
成都貰酒，陽羨栽茶。

幽草粘天，緑陰送客；
明月入手，彩雲滿懷。

天際真人，遥空聞說；
雲中仙鶴，幾度相逢。

碑帖集字聯

石鼓文集字聯

唯天爲大，如日方中。
大昪時好，不求人憐。
中道而立，好古以求。
鯉子出水，鹿女獻花。
王道除害馬，世事治小鮮。
麀鹿安靈囿，鰋鯉樂深淵。
黄道逢除日，白水即真人。
虎拜祝天子，鹿鳴享賢人。
靈鳥鳴旭日，游魚樂深淵。
夕陽射古寺，微雨憐好花。

日高深樹奄，水滿小魚游。
右丞游道藝，庶子工辭華。
魚游自可樂，鳴禽不如歸。
孔子所樂何事，湯王允執厥中。
處事惟求敬簡，逢人各道平安。
辭人多出西蜀，女子古有北宫。
辭之秀如水淨，道以樸而日章。
吴公子好古樂，孫真人多靈方。
獨樂不如同樂，求我可勿求人。
有所求如不及，方其可謂之時。
立道始求四勿，游藝可駕六如。

處爲小草，出爲大樹；
用以靈雨，鳴以朝陽。

花放水流，自有旨趣；
禽鳴魚樂，各具天真。

粟里黄花，歸來草草；
公孫白馬，辭旨滔滔。

异立大樹，安爲小草；
宣駕六車，員泛漁舟。

朝雨一花，夕陽一秀；
高人二仲，賢嗣二方。

好古不作，自求安樂；
出辭有章，所爲永康。

朝多賢人，方兹嘉樹；
時有靈雨，及我公田。

康樂安平，是爲王道；

左右奔走，大有賢人。

方盈不盈，有如流水；
時止則止，是爲樂天。

樸棫求賢，爲古王作；
楊柳載道，有君子來。

王道樹人，朝多君子；
公田雨我，時樂太平。

自古求賢，車馬弓矢；
及時爲樂，楊柳舫舟。

白虎异辭，白鹿同道；
五車載簡，五馬宣猷。

漢《校官碑》集字聯

清風表介節，奥義發雄文。

野竹有高節；文禽無俗聲。

野無人迹禽聲樂；户有清風竹景流。

自抱高風詩典雅；不矜介節竹平安。

除周孔外，初無極學；

由楚漢來，乃有雄文。

孝乎惟孝，家即有政；

樂民之樂，德乃不孤。

維曰進德焉，修業焉，是在我爾；

從兹永安乎，長樂乎，蓋有天也。

《嶧山碑》集字聯

道可大可久；德無思無爲。

家道稱萬石；經義奉康成。

遠山有時顯；去日無可追。

四野自高下；萬山時有無。

德成言乃立；義在利斯長。

大功紀國史；古義嶧山經。

道高不自薦；澤遠斯長流。

金經言不滅；道書稱無爲。

去日極可念；遠山如相親。

古言上德不德；道在無爲而爲。

自强所争者大；不昧以復其初。

立德立功斯可矣；能明能强如此夫。

盡日相親惟有石；長年可樂莫如書。

在家在邦止一理；有言有德自相因。

畫家於今稱長史；作者自昔數相如。

上理既登邦有道；四時不害天無言。

强制如逆流而上；經始有開山之功。

言之高下在於理；道無古今惟其時。

日長如年，著書自樂；

山高立石，思古不禁。

從古及今，惟斯直道；
登高自下，乃有成功。

經著上天，分野可數；
惠流下國，利澤攸長。

及時爲樂，請自今日始；
於世無争，長如泰古初。

登高而盡四野所有；
著書以成一家之言。

經曰直方大無不利；
史稱功德言長相維。

道其道，德其德，義理自立；
高者高，下者下，山澤攸分。

後日思今，今復思昔，不如盡除此念；
天下在國，國乃在家，其維自定於初。

自泰初而皇、而帝、而王，理亂相從，止此一道；
念古昔立德、立功、立言，辭義不襲，具在六經。

漢《樊敏碑》集字聯

無遺行於鄉里；有令德在子孫。

秋天炳然月常滿；春風起而華怒生。

體道辭榮漢三老；執經請事魯諸生。

諸史以遷爲之祖；六書有鉉而後明。

奉花作神春有色；爲石立史無穢辭。

風度清華晉人物；文辭嚴重漢都京。

長松卓立古之直；好風微起聖而清。

門有古松，庭無亂石；
秋宜明月，春則和風。

清節爲秋，是爲潛德；
和神當春，方能大年。

花下今月，松下古月；
春宜和風，秋宜清風。

履蹈中和，身爲律度；
安行仁義，福垂子孫。

《開母廟碑》集字聯

大年生乎静；盛德降之祥。

詩文開新穎；功德永清芬。

文心消夏静；詩格入秋嚴。

西銘治性道；連山同乾坤。

勤政肩罔替；作德心日休。

飛雲連河漢；長日入夏秋。

闕文疏夏五；閑樂寫秋千。

逍遥享閑福；清静修長生。

瑞木生連理；祥雲耀重光。

神清心無累；德盛寵不驚。

秋圃溥零雨；夏室飛亂山。

五百年挺生王佐；二三子保守斯文。

開寶以來詩極盛；秦漢而後文日新。

大千三千道不二；日新又新返其原。

祥雲瑞日光不歇；長江大河會其原。

聖德光照，比於雲日；
皇極表正，保斯山河。

光耀祥雲，道濟化雨；
林挺瑞木，山溢清泉。

子道王祥，治功陳寵；
閑福張掾，清修嚴光。

神聖功修，咸樂化雨；
福德光耀，漸興祥雲。

山靜日長，林泉消夏；
官清民樂，疇圃連雲。

一德雍雍，詩陳清廟；
百曹濟濟，表寫漢官。

漢《華山碑》集字聯

漢璧秦璆千歲品；光風嘉月四時春。

歲星仙氣原方朔；璧月新詞是義山。

位業應思天下雨；文章猶有古人風。

唐時通典猶傳佑；漢代大文惟有遷。

文高九能，道重三物；
風宣八節，氣備四時。

豳國古風，梁州明月；
柴桑時雨，潁川德星。

報國以誠，不辭過舉；
求民之莫，是爲惠人。

仙闕玉堂，風雲所會；
故人瑤札，河漢相望。

風自南來，玉殿無夏；
雨從西至，仙都乃秋。

行樂及時，輒思少日；
以書遺興，易過中年。

行茲四德，乃立天則；
斂時五福，訖用康年。

書府芳馨，古今集會；
玉京雲月，仙人往來。

長明天文，道元地理；
大丘行義，子雲宏章。

安國傳書，説經義古；
樂天紀事，風世辭新。

禮制昭垂，諸侯圭璧；
樂章損益，六代宮商。

岱用燔柴，乃岳之長；
河傳望秩，亦川所宗。

事共時遷，雲今月古；
理通禪悦，山虛水深。

其德在人，定有興者；
不營於世，焉用文之。

天行地生，百物以殖；
河深岳峻，諸神乃來。

文能不磨，新於百世；
武有所用，紀之千年。

漢《曹全碑》集字聯

泉石從所好；文章如有神。

有酒且共樂；無錢安足憂。

泉遭急雨因潛出；風遇餘雲復勒歸。

師商之間無位置；周秦以降無文章。

爲愛凉風開北户；因芟殘葉出南山。

至老不離文字事；所居合在水雲鄉。

人間大隱在朝市；身後文章報國家。

雨風好訪農家諺；泉石常存吏隱心。

山上白雲高士隱；庭前好雨古人同。

幽人之居足泉石；高年所樂長子孫。

殘石臨丞相臣斯字；名山續司馬子長文。

不出門庭全收野景；相從里巷大有高人。

白雲既開，遠山齊出；清風所至，流水與遭。

德義既高，不慕爵禄；文章之美，故有師承。

不夷不惠，君子所處；好山好水，幽人之居。

君子修德，無不獲報；儒者明理，奚以費辭。

歸歟歸歟，置老屋六七間，在山水之間，白首相安，金章奚慕；樂哉樂哉，共及門二三子，志秦漢而上，幹時不足，養性有餘。

《泰山經石峪金剛經》集字聯

不處下流；自然上達。

老樹若卧；微波如羅。

讀書能見道；入世不求名。

日長金樽小；身老布衣高。

山深圍作國；樹老化爲人。

老樹甚可怖；空山疑有仙。

仙佛亦凡種；福壽在名山。

欲無爾我見；須有老莊書。

佛心萬緣净；書味一燈孤。

照暗孤燈小；乘流一筏輕。

羅衣稱身著；華擔在肩輕。

坐觀西山色；卧讀南華經。

世上聲名天付與；山中事業我平章。

昔往今來有如此；天清地曠無已時。

道大隨人各有得；心中於世一無求。

書有未觀皆可讀；事已經過不須提。

老樹成行不見日；清流小觸即生波。

凡眼何能别蘭種；仙心方得受荷香。

我法去來皆不着；人生聚散莫非緣。

不解養生偏得壽；須知無欲即成仙。

經在漢初無解釋；字從斯後有真行。

心至虚時能受益；日當暗處乃生明。

獨往獨來，義之與比；
衆聞衆見，德則不孤。

一念不起，彼我悉化；
空山無人，仙佛皆來。

樽中有味，不爲賢，即爲聖；
燈下無事，非讀老，亦讀莊。

深山無日無時，去來今不記；

老樹有華有實，色香味皆清。

園乃甚小，山亦不深，頗得真意；
食尚有肉，衣則以布，自稱老人。

吴《天發神讖碑》集字聯

宇内大文廿四史；
書中工楷十三行。

言多忠告發深省；
人有文才昭令儀。

天與大觀，山深川廣；
人有内省，日就月將。

書上萬言，文工七發；
才得一石，功深十年。

忠告史丹，吏治陳寵；
武功李廣，文才江郎。

十步有蘭，人才咸在；
三更得月，天宇朗然。

書中萬字文，方諸内史；海上三神山，是曰大觀。

文字炳然，解從許太尉；山水工者，咸曰李將軍。

漢《魯峻碑》集字聯

清游止風月；生計在琴書。
春歸花不落；風靜月長明。
春華秋月自娱樂；三山五岳常游行。
東山高視小魯境；南國流風懷召公。

能以詩書通政事；自然道學始風流。
五體惟爲拜石屈；三公未若灌園高。
門外清游，三五明月；
園中華事，廿四春風。
南山登高，東海比廣；
春風流惠，秋月表清。
吕氏博義，自然通暢；
中郎獨斷，大有發明。
董子大儒，史游小學；
高堂治禮，夏侯傳書。

唐《紀泰山銘》集字聯

海上日月隨處見；山中積雨絶人來。
江上自來山萬迭；樽前惟有月三人。
小舉金樽對明月；高張石刻聞古香。
多言自守金人誡；稽典時開玉海編。
立旗而觀風順不；舉綱有得月隨之。
立石自成小五岳；陳圖而觀大九州。
觀五岳而知衆山小；
凡百川咸於大海歸。
視山人居若神仙宅；
開文章府亦大將壇。
天生仙物，三千年熟；
地溥美利，九十月成。
無歲不熟，萬寶之府；
得月而明，群玉其山。

風至山中，無不和暢；
月生海上，自極高明。

禮大斯簡，樂大斯易；
德高無言，道高無爲。

天錫六符，地貢萬寶；
易張十翼，書陳七觀。

順時而行，歸於安宅；
修德有報，福在後人。

通人無方，不爲石，不爲玉；
修士有則，亦如錫，亦如金。

文物天開，已盡東南之美矣；
典章聖作，尚於庚子而陳之。

王羲之《蘭亭序》集字聯

斯文在天地；至樂寄山林。

至人無异趣；靜坐得長生。

咏懷當世事；叙次古人文。

清猶臨川竹；惠若當風蘭。

樂天有清致；次山長古風。

同文懷盛世；大樂感人情。

風竹引天樂；林亭集古春。

知足隨所遇；無事不可言。

古懷言外得；此曲世間無。

得山水清氣；極天地大觀。

靜坐得幽趣；清游快此生。

一亭俯流水；萬竹引清風。

清游向天日；幽抱托風懷。

風靜帶蘭氣；日長娱竹陰。

文品極於古；清言足可聽。

山靜蘭初放；亭幽竹與清。

不隨時俯仰；自得古風流。
感時嘗有作；知己得斯人。
清閑無世事；管領有春風。
林間春有信；竹外水生風。
風和春日永；水映暮山清。
幽蘭間修竹；流水抱春山。
有情天不老；無事日斯長。
觀水悟天趣；臨觴懷古人。
幽懷得春氣；修竹引清風。
觀水得其趣；臨文暢所言。
幽室在山自古；短亭臨水長清。
作文當有清氣；臨事終期虛懷。
臨事咸期無妄；隨時觀取同人。
事有一長可取；氣與萬化同流。
静坐自然有得；虛懷初若無能。
言或自生天趣；事當曲盡人情。
知者所樂在水；幽人托迹於山。

取人録長捨短；攬古异世同情。
大同無少長老；至樂合天地人。
不管古今世事；永爲天地閑人。
萬事盡隨流水；一時同坐春風。
天外諸山若抱；坐間九老齊年。
畢生無不快事；隨地作自在觀。
虛室自生静氣；清風若遇故人。
繫幽蘭於其帶；取古竹以爲觴。
人豈虛生此世；事無不合於時。
閑時少坐無躁；静極一妄不生。
至化與人同樂；大和隨地生春。
放懷於天地外；得氣在山水間。
大地清幽山水會；此生懷抱管弦知。
林外清流隨地曲；山間古竹引人清。
賢者所懷虛若竹；文章之氣静如蘭。
清風有信隨蘭得；激水爲湍抱竹流。
静坐不虛蘭室趣；清流自帶竹林風。

亭間流水自今古；竹外春山時有無。

隨時静録古今事；盡日放懷天地間。

觴咏風流春未暮；清和天氣日初長。

短亭盡攬山間趣；幽室能觀世外天。

爲稽管樂當年迹；盡攬幽齋一帶山。

和氣春風賢者坐；静山流水至人懷。

崇蘭短竹觀生趣；清室幽林托静懷。

斯人與山水爲契；其品在管樂之間。

室因抱水隨其曲；竹爲觀山不放長。

文生於情有春氣；興之所至無古人。

峻品既爲時所仰；清懷常與古同游。

萬類静觀咸自得；一春幽興少人知。

一室風生與可竹；萬方氣盛大年文。

修己可知有樂地；作文自合捨陳言。

每坐風亭聽萬竹；相期日觀俯諸山。

不放形骸固其會；將齊氣類致以和。

盡録其長捨所短；初若爲异終於同。

知者爲其所無事；後死得與於斯文。

長此無言一室静；欣然游目萬山春。

流水相娱觀聽外；春風時在有無間。

群流所會生激浪；萬山之間一短亭。

足不可至托之目；情有所得形於言。

盡陳古事觀同异；不與時人列短長。

暫托無弦契流水；有時朗咏引天風。

初春和會蘭生日；一氣修長竹有年。

風竹能言蘭静聽；春風騁氣水閑流。

幽竹盡懷大古致；春山咸若少年人。

坐室觀天文曲朗；臨風品水惠山清。

諸事隨時若流水；此懷無日不春風。

風因得竹若殊遇；水不在山無激流。

嘗因流水懷今日；每托清風感故人。

極目水天欣一攬；暢懷風日快初春。

每因感激懷知己；爲樂清虚寄可人。

文風欣遇清時盛；和氣能生大地春。

取抱自知能事少；放懷每托詠言清。

古人之風清與惠；賢者所樂和不流。

今古每云不相及；風氣所在得無同。

天地同和爲大樂；古今异世觀斯文。

群然和者幽蘭曲；快哉當之修竹風。

生當稽古右文日；老作觀山樂水人。

信之爲言有諸已；文亦不外生於情。

天地大觀極游攬；山林异致得清幽。

修竹趣生文與可；幽蘭静契管夫人。

稽古每期於可信；取人當盡其所長。

林間日暮風初静；亭外春陰水自流。

静坐竹林觀自在；閑游蘭若悟文殊。

懷古賢慨虚生一世；
臨崇山當俯視群流。

知昔日始可喻今者；
觀已事所以察未然。

文能繫斯世爲至大；
人有得於天故長生。

興所至雖萬言不盡；
文之茂在一氣相生。

竹氣初流，山静若古；
蘭言相晤，春永於年。

竹林諸賢，相與俯仰；
蘭亭之會，豈有古今。

取静於山，寄情於水；
虚懷若竹，清氣若蘭。

老竹當天，清陰可托；
崇蘭在室；和氣所生。

品仰咸賢，懷齊管樂；
文崇遷固，年永老彭。

左咏臨流，畢觴盡日；
期情寄水，列趣當風。

萬有不齊，放懷自得；
一無所取，知足猶能。

既然得水，豈可無竹；
時或觀山，亦當有亭。

修之自長，察之自在；
言者能信，感者得咸。

觀天地事，萬殊一致；
會古今文，諸賢同群。

春風感人，有形無迹；
後賢懷古，异世同情。

無遇於今，必得於古；
能修夫己，自及夫人。

春至無形，因時生迹；
天長不老，以古爲年。

於文人懷，管列遷固；
察天事在，隨臨觀咸。

峻嶺崇山，群類咸俯；
清流静水，萬形畢陳。

氣静同蘭，懷虛喻竹；
目清若水，足快生風。

文峻若山，品清於水；
事稽在古，賢取諸今。

朗月映懷，和春在抱；
崇蘭臨水，古竹當風。

文管生風，自然有竹；
咏觴得趣，可以無弦。

相遇無言，流水今日；
不期而至，清風古人。

水静能湍，風清自感；
山崇故俯，竹老猶虛。

風雖無形，猶有可聽；
地以至静，故能大生。

每懷古人，自知不足；
既生斯世，豈能無情。

大化同流，合少長老；
風人所咏，可興觀群。

趣會萬殊，若合一契；
少長咸集，列叙時人。

賢矣老彭，述夫作者；
大哉林放，契於至人。

天地之初，由無生有；
山水所會，以曲爲幽。

觀化天人，放懷世宙；
寄情山水，極目林亭。

樂以和之，人情斯暢；
咸者感也，氣類相因。

林氣映天，竹陰在地；
日長似歲，水静於人。

遷固同文，惠列殊抱；
管樂佐世，老彭引年。

春風無形，激水生浪；
大地至静，長天自清。

嶺曲風長，亭幽水會；
懷虛趣得，情至文生。

流水長亭，春風静宇；
幽蘭一室，修竹萬山。

其室清幽，有初蘭少竹；
所抱朗暢，若流水春山。

今文與古文，期其一是；
無極爲大極，化可萬殊。

《聖教序》集字聯

百卉生時多雨露；萬峰高處起烟雲。

雲霞詞彩圭璋度；川岳精神松桂身。

二月風光清眼耳；百年書味潤身心。

靈珠匿水光於漢；至寶含岩焰在天。

機雲才思非人力；王謝風流本性生。

燈開蓮炬遲歸舍；露潤霜毫早校書。

風定鐘聲花外度；明月人影鏡中來。

山川靈妙能增慧；花木精神亦永年。

雲出無心猶作雨；花開有意不能言。

無盡波濤歸學海；長春花木在詞林。

無力東風花半露；有情春水燕雙飛。

三春花滿香成海；八月濤來水作山。

空山野卉閑行處；細雨黃花獨對時。

蒼松古桂皆仙侶；明月清風是故人。

十里水光心地朗；一林花色性天空。

松以有濤添潤色；月如無桂不清香。

松色夜燈禪影靜；莎庭春雨道心空。

内典相傳唐翰墨；清言猶見晋風流。

門掩梨花深見月；寺藏松葉遠聞鐘。

相如遺書有三篋；子瞻對策稱萬言。

廣庭有露桂花濕；空山無風松子香。

二分明月維揚夜；十里名花茂苑春。

蓮花忽現我佛相；松身如睹真仙形。

人影在地忽見月；天香滿袖知有風。

佛爲多情乃見性；仙能不俗即超凡。

清華詞作雲霞彩；典重文成金石聲。

座攬清輝萬川月；胸含和氣四時春。

半嶺細黃山桂影；一川深緑水波紋。

春光顯露花開未；山色黃昏月上無。

大翼垂天九萬里；長松拔地三千年。

方書古有金匱略；奇字今無石室文。

彌天雪月空中色；寒夜霜鐘悟後心。

黃昏花影二分月；細雨春林一半烟。

九萬里風斯在下；八千年木自爲春。

松濤在耳遠彌靜；山月照人清不寒。

珠林墨妙三唐字；金匱文高二漢風。

法雨慈雲窺色相；清池明月露禪心。

太華奇觀，萬古積雪；

廣陵妙境，八月驚濤。

水流花開，得大自在；
風清月朗，是上乘禪。

志托慈良，萬福所會；
心懷利濟，衆善之門。

羅浮括蒼，神仙所宅；
圖書金石，作述之林。

黄葉半林，所思不遠；
明月千里，我勞如何。

我佛所宗，真如貝葉；
衆經之長，妙法蓮花。

四世傳經，是謂通德；
一門訓善，維以永年。

見道精深，天人三策；
體物宏麗，東西二京。

書法鍾王，文窺左國；
緣深仙佛，契通神明。

可以栖遲，蒼松古石；
不知漢晋，無懷葛天。

清風滿懷，朗月在抱；
萬慮皆息，一塵不驚。

王謝門才，機雲世德；
神仙福慧，山水因緣。

顔真卿《争座位帖》集字聯

直節思君子；清言中聖人。

入座香如海；開門月滿天。
才名高畫省；位置合金臺。
書宜清夜校；樽爲古人開。
書言皆聖道；易理即天心。
一樽對明月；三徑來古人。
微香開末利；初日對夫容。
古徑無人到；深堂有月來。
閑思參佛座；靜悟品心香。
大文思吏部；古畫愛將軍。
高臺明月滿；古寺晚烟藏。
情文欲共樽彝古；志節應争日月光。
金臺名士高前席；紫府真人校异書。
東海高門見天道；南州一榻冠人倫。
升高喜見諸天月；入座微聞百和香。
正直居中皇極貴；危微知儆道心尊。
名書古畫不易得；月閣烟寮相與親。
才名挺出如東野；佛理清深是子瞻。

兩世勛名郭僕射；一家書畫李將軍。
忽命清樽才士到；卻披書本古人來。
九州半倚東南海；三古初無道佛書。
有古樽彝常保用；得名書畫謹收藏。
高士野人皆入畫；名香古爵自披書。
獨坐只應天可對；野行常有月相從。
書到疑時須逆志；事當難處但平心。
此志時存常敏勉；我身天已與安排。
清蔭滿階開畫本；古香一榻坐書城。
尚論情深容竊比；清修道合悟真如。
半階明月初來地；滿郭朝烟欲上時。
十里晚烟含古寺；五更明月到書堂。
開樽忽見前身月；用世猶留半部書。
列開畫閣安香榻；正倚書臺作射堂。
古徑烟深屈子廟；高城月滿定王臺。
直諒喜來三益友；縱横富有百城書。
節用愛人能道國；正心誠意乃修身。

燃名香宜對古畫；見明月又來古人。

深堂有月同參佛；清畫無人自檢書。

書有魚傳人咫尺；門惟爵到地清高。

聞道何時常恐晚；置身有地不辭高。

無端開合電明野；不事安排月到天。

滿室古香人有會；當階清陰月初中。

清宴初開，才人忽到；
名香始縱，大月還來。

據榻燃香，即同供佛；
合目數息，便是修真。

魚有百金，乃澤國長；
爵惟三足，自日中來。

揆高度深，九數所及；
指事會意，六書之綱。

獨坐堂階，天高月滿；
忽披書本，古往今來。

高堂二戴，知古今禮；
太寶三度，居天地中。

名畫高懸，古書平列；
天光直射，月意横來。

宰相知人，將軍善任；
太常紀績，右史書勛。

聖業顏曾，清名郭李；
相才文富，士品裴王。

天爵崇高，初無階級；
書城割據，各异門涂。

畫閣凌烟，高標回日；
金臺論士，紫府藏書。

坐榻横書，升臺校射；
燃香品畫，對月開樽。

天大故高，海深益下；
香初已縱，月晚猶明。

思深責難，別微謹始；
存疑儆忽，抑滿振衰。

武將宣威，自天而下；
文臣紀盛，如日之升。

居安思危，以貴下賤；
有容乃大，不怒而威。

開誠布公，明道興事；
立名崇節，尚德措刑。

直度三古，横抗八極；
友取十室，書據百城。

行路有何難，我曾從天柱、九嶷、三涂、太白、紫閣、終南，直到上京王者地；
得師真不易，所願與高堂、二戴、安國、子長、相如、正則，同依東魯聖人家。

歐陽詢《九成宮醴泉銘》集字聯

月沼觀心清若鏡；雲房養氣潤於珠。

明月清風深有味；左圖右史交相輝。

一室圖書自清潔；百家文史足風流。

爲學深知書有味；觀心澄覺寶生光。

德取咸和謙則吉；功資養性壽而安。

西清恩挹三霄露；東觀文成五色雲。

岩前煉石雲爲質；檻外流泉月有聲。

功深書味常流露；學盛謙光更吉祥。

氣淑年和，群生咸集；
冰凝鏡澈，百姓爲心。

卿雲在霄，延此和淑；
高風冠世，集其清華。

甘露卿雲，於世爲瑞；
明珠潤玉，蓋代之華。

玉質金相，當時之寶；
頌經風緯，冠世而華。

鳳質龍文，光華相映；
景風淑氣，仁壽同登。

歷代名碑集字聯

天與厥福（《禮器碑》）；
世有令名（《耿勳碑》）。

令儀令色（《逢盛碑》）；
允武允文（《魯峻碑》）。

行義高邵（《費鳳碑》）；
體性温仁（《孟鬱碑》）。

耽樂術藝（《丁魴碑》）；
揪斂吉祥（《華山碑》）。

篤禮崇義（《高彪碑》）；
抱淑守真（《景君碑》）。

鈎河摘洛（《史晨碑》）；
奉魁承杓（《石門頌》）。

廣祈多福（《孟鬱碑》）；
博覽群書（《魯峻碑》）。

文艷彬彧（《趙圉令碑》）；
風曜穆清（《祝睦碑》）。

剖演奧義（《校官碑》）；
恬忽世榮（《侯成碑》）。

翔風膏雨（《孟鬱碑》）；
左書右琴（《馬江碑》）。

敦詩悦禮（《西狹頌》）；
含謨吐忠（《孔彪碑》）。

爲國楨干（《郭仲奇碑》）；
作主股肱（《樊安碑》）。

剛毅多略（《丁魴碑》）；
文雅少疇（《郭仲奇碑》）。

智含淵藪（《度尚碑》）；
潔如圭璋（《唐扶頌》）。

種德收福（《張公神碑》）；
干國棟家（《州輔碑》）。

德惠旁流，鬯芳遠布（《劉熊碑》）；
雅度宏綽，廣學甄微（《魯峻碑》）。

聲無細聞，雖遠猶近（《張遷碑》）；
勞而不伐，有實若虛（《孔彪碑》）。

躬潔冰雪，夷然清皓（《祝睦後碑》）；
性發蘭石，生自馥芬（《帝堯碑》）。

以義抑强，以仁恤弱（《唐扶頌》）；
乃臺吐耀，乃岳降精（《楊震碑》）。

威隆秋霜，恩逾冬日（《樊毅碑》）；
言合雅謨，慮中聖權（《譙敏碑》）。

蹈規履信，立德隆禮（《范式碑》）；
根道核義，抱淑守真（《景君碑》）。

學爲儒宗，行爲士表（《魯峻碑》）；
冠乎群彥，簡乎聖心（《鄭固碑》）。

含和履仁，天與厥福（《孔彪碑》）；
發號施令，民悅無疆（《華山碑》）。

卷三　名詩

山水田園

逸翮思拂霄，迅足羡遠游。
清源無增瀾，安得運吞舟？
圭璋雖特達，明月難暗投。
潛穎怨青陽，陵苕哀素秋。
悲來惻丹心，零淚緣纓流。

——晉·郭璞《游仙詩十四首·其三》

哀榮無定在，彼此更共之。
邵生瓜田中，寧似東陵時。
寒暑有代謝，人道每如茲。
達人解其會，逝將不復疑。
忽與一觴酒，日夕歡相持。

——晉·陶潛《飲酒二十首·其三》

結廬在人境，而無車馬喧。
問君何能爾，心遠地自偏。
采菊東籬下，悠然見南山。
山氣日夕佳，飛鳥相與還。
此中有真意，欲辯已忘言。

——晉·陶潛《飲酒二十首·其五》

秋菊有佳色，裛露掇其英。
汎此忘憂物，遠我遺世情。
一觴雖獨盡，杯盡壺自傾。
日入群動息，歸鳥趨林鳴。
嘯傲東軒下，聊復得此生。

——晉·陶潛《飲酒二十首·其七》

孟夏草木長，繞屋樹扶疏。
衆鳥欣有托，吾亦愛吾廬。
既耕亦已種，時還讀我書。
窮巷隔深轍，頗回故人車。
歡然酌春酒，摘我園中蔬。
微雨從東來，好風與之俱。
汎覽周王傳，流觀山海圖。
俯仰終宇宙，不樂復何如！

——晉·陶潛《讀山海經十三首·其一》

少無適俗韻，性本愛丘山。
誤入塵網中，一去三十年。
羈鳥戀舊林，池魚思故淵。
開荒南野際，守拙歸園田。
方宅十餘畝，草屋八九間。
榆柳蔭後檐，桃李羅堂前。
曖曖遠人村，依依墟里烟。
狗吠深巷中，鷄鳴桑樹顛。
户庭無塵雜，虛室有餘閑。
久在樊籠裏，復得返自然。

——晉·陶潛《歸園田居·五首其一》

種豆南山下，草盛豆苗稀。
晨興理荒穢，帶月荷鋤歸。
道狹草木長，夕露沾我衣。
衣沾不足惜，但使願無違。

——晉·陶潛《歸園田居·五首其三》

江南倦歷覽，江北曠周旋。
懷新道轉迴，尋異景不延。
亂流趨正絶，孤嶼媚中川。
雲日相暉映，空水共澄鮮。

表靈物莫賞，蘊真誰爲傳。
想象昆山姿，緬邈區中緣。
始信安期術，得盡養生年。
——晉·謝靈運《登江中孤嶼》

山中何所有，嶺上多白雲。
只可自怡悦，不堪持寄君。
——南北朝·陶弘景《詔問山中何所有賦詩以答》

心逐南雲逝，形隨北雁來。
故鄉籬下菊，今日幾花開？
——南北朝·江總《於長安歸還揚州，九月九日行至微山亭賦韻》

大江一浩蕩，離悲足幾重？
潮落猶如蓋，雲昏不作峰。
遠戍唯聞鼓，寒山但見松。
九十方稱半，歸途詎有踪？
——南北朝·陰鏗《晚出新亭》

林杪不可分，水步遥難辨。
一片山翠邊，依稀見村遠。
——唐·釋皎然《望遠村》

西塞長雲盡，南湖片月斜。
漾舟人不見，卧入武陵花。
——唐·釋法振《月夜泛舟》

獨坐幽篁裏，彈琴復長嘯。
深林人不知，明月來相照。
——唐·王維《竹里館》

終南陰嶺秀，積雪浮雲端。

林表明霽色，城中增暮寒。

——唐·祖咏《終南望餘雪》

移舟泊烟渚，日暮客愁新。
野曠天低樹，江清月近人。

——唐·孟浩然《宿建德江》

登涉寒山道，寒山路不窮。
溪長石磊磊，澗闊草蒙蒙。
苔滑非關雨，松鳴不假風。
誰能超世累，共坐白雲中。

——唐·釋寒山《山居詩》

溪翁居處静，溪鳥入門飛。
早起釣魚去，夜深乘月歸。
露香菰米熟，烟暖荇絲肥。
瀟灑塵埃外，扁舟一草衣。

——唐·釋景雲《溪叟》

久爲簪組束，幸此南夷謫。
閑依農圃鄰，偶似山林客。
曉耕翻露草，夜傍響溪石。
來往不逢人，長歌楚天碧！

——唐·柳宗元《溪居》

客路青山下，行舟緑水前。
潮平兩岸闊，風正一帆懸。
海日生殘夜，江春入舊年。
鄉書何處達？歸雁洛陽邊。

——唐·王灣《次北固山下》

不知香積寺，數里入雲峰。
古木無人徑，深山何處鐘？
泉聲咽危石，日色冷青松。

薄暮空潭曲，安禪制毒龍。

——唐·王維《過香積寺》

空山新雨後，天氣晚來秋。
明月松間照，清泉石上流。
竹喧歸浣女，蓮動下漁舟。
隨意春芳歇，王孫自可留。

——唐·王維《山居秋暝》

太乙近天都，連山到海隅。
白雲回望合，青靄入看無。
分野中峰變，陰晴衆壑殊。
欲投人處宿，隔水問樵夫。

——唐·王維《終南山》

楚塞三湘接，荆門九派通。
江流天地外，山色有無中。
郡邑浮前浦，波瀾動遠空。
襄陽好風日，留醉與山翁。

——唐·王維《漢江臨眺》

寒山轉蒼翠，秋水日潺湲。
倚杖柴門外，臨風聽暮蟬。
渡頭餘落日，墟里上孤烟。
復值接輿醉，狂歌五柳前。

——唐·王維《輞川閑居贈裴秀才迪》

斜陽照墟落，窮巷牛羊歸。
野老念牧童，倚杖候荆扉。
雉雊麥苗秀，蠶眠桑葉稀。
田夫荷鋤至，相見語依依。
即此羨閑逸，悵然吟式微！

——唐·王維《渭川田家》

幽意無斷絶，此去隨所偶。
晚風吹行舟，花路入溪口。
際夜轉西壑，隔山望南斗。
潭烟飛溶溶，林月低向後。
生事且瀰漫，願爲持竿叟。
——唐·綦毋潛《春泛若耶溪》

清晨入古寺，初日照高林。
曲徑通幽處，禪房花木深。
山光悦鳥性，潭影空人心。
萬籟此俱寂，惟聞鐘磬音。
——唐·常建《題破山寺後禪院》

一路經行處，莓苔見屐痕。
白雲依静渚，芳草閉閑門。
遇雨看松色，隨山到水源。
溪花與禪意，相對亦忘言。
——唐·劉長卿《尋南溪常道士》

望君烟水闊，揮手淚沾巾！
飛鳥没何處？青山空向人。
長江一帆遠，落日五湖春。
誰見汀洲上，相思愁白蘋！
——唐·劉長卿《餞别王十一南游》

故人具鷄黍，邀我至田家。
緑樹村邊合，青山郭外斜。
開軒面場圃，把酒話桑麻。
待到重陽日，還來就菊花。
——唐·孟浩然《過故人莊》

山光忽西落，池月漸東上。

散髮乘夕涼，開軒卧閑敞。
荷風送香氣，竹露滴清響。
欲取鳴琴彈，恨無知音賞。
感此懷故人，中宵勞夢想！

——唐・孟浩然《夏日南亭懷辛大》

北山白雲裏，隱者自怡悅。
相望試登高，心隨雁飛滅。
愁因薄暮起，興是清秋發。
時見歸村人，沙行渡頭歇。
天邊樹若薺，江畔洲如月。
何當載酒來，共醉重陽節。

——唐・孟浩然《秋登蘭山寄張五》

道由白雲盡，春與青溪長。
時有落花至，遠隨流水香。
閑門向山路，深柳讀書堂。
幽映每白日，清輝照衣裳。

——唐・劉昚虛《闕題》

遥夜泛清瑟，西風生翠蘿。
殘螢棲玉露，早雁拂金河。
高樹曉還密，遠山晴更多。
淮南一葉下，自覺洞庭波。

——唐・許渾《早秋三首選一》

紅葉晚蕭蕭，長亭酒一瓢。
殘雲歸太華，疏雨過中條。
樹色隨關迥，河聲入海遥。
帝鄉明日到，猶自夢漁樵。

——唐・許渾《秋日赴闕題潼關驛樓》

露氣寒光集，微陽下楚邱。
猿啼洞庭樹，人在木蘭舟。
廣澤生明月，蒼山夾亂流。
雲中君不見，竟夕自悲秋。

——唐·馬戴《楚江懷古》

灞原風雨定，晚見雁行頻。
落葉他鄉樹，寒燈獨夜人。
空園白露滴，孤壁野僧鄰。
寄卧郊扉久，何年致此身。

——唐·馬戴《灞上秋居》

山寺門前多古松，溪行欲到已聞鐘。
中宵引領尋高頂，月照雲峰凡幾重。

——唐·釋靈一《宿静林寺》

野泉烟火白雲間，坐飲香茶愛此山。
巖下維舟不忍去，青溪流水暮潺潺。

——唐·釋靈一《與元居士青山潭飲茶》

靈山疊疊幾千重，幽谷路深絶人踪。
碧澗清流多勝境，時來鳥語合人心。

——唐·釋拾得《山居》

隱隱飛橋隔野烟，石磯西畔問漁船。
桃花盡日隨流水，洞在清溪何處邊？

——唐·張旭《桃花溪》

更深月色半人家，北斗闌干南斗斜。
今夜偏知春氣暖，蟲聲新透緑窗紗。

——唐·劉方平《月夜》

銀燭秋光冷畫屏，輕羅小扇撲流螢。
天階夜色凉如水，卧看牽牛織女星。
——唐·杜牧《秋夕》

漁翁夜傍西巖宿，曉汲清湘然楚竹。
烟消日出不見人，欸乃一聲山水緑。
回看天際下中流，巖上無心雲相逐。
——唐·柳宗元《漁翁》

山寺鳴鐘晝已昏，漁梁渡頭争渡喧。
人隨沙岸向江村，余亦乘舟歸鹿門。
鹿門月照開烟樹，忽到龐公棲隱處。
巖扉松逕長寂寥，唯有幽人自來去！
——唐·孟浩然《夜歸鹿門歌》

昔人已乘黄鶴去，此地空餘黄鶴樓。
黄鶴一去不復返，白雲千載空悠悠。
晴川歷歷漢陽樹，芳草萋萋鸚鵡洲。
日暮鄉關何處是？烟波江上使人愁！
——唐·崔顥《黄鶴樓》

鳳凰臺上鳳凰游，鳳去臺空江自流。
吴宫花草埋幽徑，晋代衣冠成古邱。
三山半落青天外，二水中分白鷺洲。
總爲浮雲能蔽日，長安不見使人愁！
——唐·李白《登金陵鳳凰臺》

舍南舍北皆春水，但見群鷗日日來。
花徑不曾緣客掃，蓬門今始爲君開。
盤飧市遠無兼味，樽酒家貧只舊醅。
肯與鄰翁相對飲，隔籬呼取盡餘杯。
——唐·杜甫《客至》

積雨空林烟火遲，蒸藜炊黍餉東菑。
漠漠水田飛白鷺，陰陰夏木囀黃鸝。
山中習静觀朝槿，松下清齋折露葵。
野老與人争席罷，海鷗何事更相疑！
——唐・王維《積雨輞川莊作》

仙臺初見五城樓，風物淒淒宿雨收。
山色遥連秦樹晚，砧聲近報漢宫秋。
疎松影落空壇静，細草春香小洞幽。
何用别尋方外去，人間亦自有丹邱。
——唐・韓翃《同題仙游觀》

澹然空水對斜暉，曲島蒼茫接翠微。
波上馬嘶看棹去，柳邊人歇待船歸。
數叢沙草群鷗散，萬頃江田一鷺飛。
誰解乘舟尋范蠡，五湖烟水獨忘機。
——唐・温庭筠《利州南渡》

江雨霏霏江草齊，六朝如夢鳥空啼。
無情最是臺城柳，依舊烟籠十里堤。
——五代・韋莊《金陵圖》

陰崖未知晴，松雪自在白。
可恨曉風顛，飛寒亂苔石。
——宋・嚴粲《松雪》

山高澤氣通，石竇飛靈液。
默料谷中雲，多應從此出。
——宋・朱熹《井泉》

底處雙飛燕，銜泥上藥欄。
莫教驚得去，留取隔簾看。
——宋・范成大《雙燕》

野岸溪幾曲，松蹊穿翠陰。
不知芳渚遠，但愛緑荷深。
——宋・歐陽修《和聖俞百花洲》

綠水池光冷，青苔砌色寒。
竹深啼鳥亂，庭暗落花殘。

——宋・劉敞《雨後回文》

孤嶼紅蓼深，清波照寒影。
時有雙鷺鷥，飛來作佳景。

——宋・文同《蓼嶼》

雲勢移峰緩，泉聲出山遲。
此時無限意，唯有翠禽知。

——宋・邵康節《福昌縣會雨》

山空樵斧響，隔嶺有人家。
日落潭照樹，川明風動花。

——宋・陳與義《出山》

小浦聞魚躍，橫林待鶴歸。

閑雲不成雨，故傍碧山飛。

——宋・陸游《柳橋晚眺》

日落碧簪外，人行紅雨中。
幽人詩酒裏，又是一春風。

——宋・楊萬里《春日絕句》

浩露侵緗蕊，尖風獵絳英。
繁霜不可拒，切勿愛空名。

——宋・宋祁《拒霜》

水浸石根冷，風吹藤葉飛。
菰蒲秋影裏，長趁釣船歸。

——宋・薛嵎《蓑衣步》

盛集蘭亭舊，風流洛社今。
坐中無俗客，水曲有清音。

香篆來還去，花枝泛復沉。
未須愁日暮，天際是輕陰。
——宋·程顥《陳公廙園修禊事席上賦》

西野芳菲路，春風正可尋。
山城依曲渚，古渡入修林。
長日多飛絮，游人愛綠陰。
晚來歌吹起，惟覺畫堂深。
——宋·徐璣《春日游張提舉園池》

村野苔爲徑，茅檐竹作籬。
神清和月寫，香遠隔烟知。
老樹有餘韻，別花無此姿。
詩人風味似，夢寐也應思。
——宋·張道洽《咏梅》

久客見華髮，孤棹桐廬歸。
新月無朗照，落日有餘輝。
漁浦風水急，龍山烟火微。
時聞沙上雁，一一背人飛。
——宋·潘閬《歲暮自桐廬歸錢塘晚泊漁浦》

水光瀲灩晴方好，山色空濛雨亦奇。
欲把西湖比西子，淡妝濃抹總相宜。
——宋·蘇軾《飲湖上，初晴後雨》

荷盡已無擎雨蓋，菊殘猶有傲霜枝。
一年好景君須記，最是橙黃橘綠時。
——宋·蘇軾《贈劉景文》

紅樹青山日欲斜，長郊草色綠無涯。
游人不管春將老，來往亭前踏落花。
——宋·歐陽修《豐樂亭游春》

泉眼無聲惜細流，樹陰照水愛晴柔。
小荷才露尖尖角，早有蜻蜓立上頭。
——宋·楊萬里《小池》

小閣明窗半掩門，看書作睡正昏昏。
無端卻被梅花惱，特地吹香破夢魂。
——宋·楊萬里《釣雪舟倦睡》

畢竟西湖六月中，風光不與四時同。
接天蓮葉無窮碧，映日荷花別樣紅。
——宋·楊萬里《曉出净慈寺送林子方》

梅子留酸軟齒牙，芭蕉分緑與窗紗。
日長睡起無情思，閑看兒童捉柳花。
——宋·楊萬里《閑居初夏午睡起》

青苔滿地初晴後，緑樹無人晝夢餘。
惟有南風舊相識，偷開門户又翻書。
——宋·劉攽《新晴》

一夕輕雷落萬絲，霽光浮瓦碧參差。
有情芍藥含春淚，無力薔薇卧曉枝。
——宋·秦觀《春日》

天風吹月入欄杆，烏鵲無聲夜向闌。
織女明星來枕上，了知身不在人間。
——宋·秦觀《四時四首贈道流》

水堂長日净鷗沙，便覺京塵隔鬢華。
夢裏不知凉是雨，捲簾微濕在荷花。
——宋·陳與義《雨過》

茅檐長掃静無苔，花木成畦手自栽。

一水護田將緑繞，兩山排闥送青來。

——宋·王安石《書湖陰先生壁》

有梅無雪不精神，有雪無詩俗了人。
日暮詩成天又雪，與梅并作十分春。

——宋·盧梅坡《雪梅》

梅雪争春未肯降，騷人擱筆費評章。
梅須遜雪三分白，雪卻輸梅一段香。

——宋·盧梅坡《雪梅》

梅子黄時日日晴，小溪泛盡卻山行。
緑陰不減來時路，添得黄鸝四五聲。

——宋·曾幾《三衢道中》

雨過横塘水滿堤，亂山高下路東西。
一番桃李花開盡，惟有青青草色齊。

——宋·曾鞏《城南》

應憐屐齒印蒼苔，小扣柴扉久不開。
春色滿園關不住，一枝紅杏出墻來。

——宋·葉紹翁《游園不值》

竹杖草履步蒼苔，山上獨亭四牖開。
烟雨濛濛溪水急，小篷時轉碧灣來。

——宋·晁補之《題蘇軾〈塔山對雨圖〉》

春陰垂野草青青，時有幽花一樹明。
晚泊孤舟古祠下，滿川風雨看潮生。

——宋·蘇舜欽《淮中晚泊犢頭》

梨花風起正清明，游子尋春半出城。
日暮笙歌收拾去，萬株楊柳屬流鶯。

——宋·吴惟信《蘇堤清明即事》

岸闊檣稀波渺茫，獨憑危檻思何長。
蕭蕭遠樹疏林外，一半秋山帶夕陽。

——宋·寇準《書河上亭壁》

莫笑農家臘酒渾，豐年留客足鷄豚。
山重水復疑無路，柳暗花明又一村。
簫鼓追隨春社近，衣冠簡樸古風存。
從今若許閑乘月，拄杖無時夜叩門。

——宋·陸游《游山西村》

東風知我欲山行，吹斷檐間積雨聲。
嶺上晴雲披絮帽，樹頭初日掛銅鉦。
野桃含笑竹籬短，溪柳自摇沙水清。
西崦人家應最樂，煮芹燒笋餉春耕。

——宋·蘇軾《新城道中》

十里青山蔭碧湖，湖邊風物畫難如。
夕陽茅舍客沽酒，明月小橋人釣魚。
舊卜草莊臨水行，來尋野叟問耕鋤。
他年待掛衣冠後，乘興扁舟取次居。

——宋·王十朋《題湖邊莊》

馬穿山徑菊初黄，信馬悠悠野興長。
萬壑有聲含晚籟，數峰無語立斜陽。
棠梨葉落胭脂色，蕎麥花開白雪香。
何事吟餘忽惆悵，村橋原樹似吾鄉。

——宋·王禹偁《村行》

樹合秋聲滿，村荒暮景閑。
虹收仍白雨，雲動忽青山。

——金·元好問《山居雜詩》

瘦竹藤斜掛，叢花草亂生。
林高風有態，苔滑水無聲。

——金·元好問《山居雜詩》

鷺影兼秋靜，蟬聲帶晚涼。
陂長留積水，川闊盡斜陽。

——金・元好問《山居雜詩》

秋水一抹碧，殘霞幾縷紅。
水窮雲盡處，隱隱兩三峰。

——元・張秦娥《遠山》

海石涵秋水，風篁生晚涼。
孤篷初歇雨，和月渡瀟湘。

——元・華幼武《次韻題畫》

水國宜秋晚，羈愁感歲華。
清霜醉楓葉，淡月隱蘆花。
漲落高低路，川平遠近沙。
炊烟青不斷，山崦有人家。

——元・許有壬《荻港早行》

浮雲開合晚風輕，白鳥飛邊落照明。
一曲彩虹橫界斷，南山雷雨北山晴。

——元・黃庚《暮虹》

楊柳滿長堤，花明路不迷。
畫船人未起，側枕聽鶯啼。

——明・張寧《蘇堤春曉》

萬樹寒無色，南枝獨有花。
香聞流水處，影落野人家。

——明・道源《早梅》

爲愛西湖好，一步一長吟。
黃鶯見人至，飛起度湖陰。

——明・宋濂《湖上》

春色醉巴陵，闌干落洞庭。

水吞三楚白，山接九疑青。
空闊魚龍氣，嬋娟帝子靈。
何人夜吹笛？風急雨冥冥。
——明·楊基《岳陽樓》

望裏南宮潑墨山，小窗殘燭放舟還。
從容畢竟輸漁父，藕葉菱花泊淺灘。
——明·譚貞竑《南屏歸艇遇雨》

隔岸峰巒過雨新，桃花水暖碧粼粼。
誰家艇子閑來往，只載春光不載人。
——明·劉泰《山景》

江樓無燭露凄清，風動琅玕笑語明。
一夜桂花何處落？月中空有軸簾聲。
——明·湯顯祖《天竺中秋》

寂歷秋江漁火稀，起看殘月映林微。
波光水鳥驚猶宿，露冷流螢濕不飛。
——明·湯顯祖《江宿》

溪山雲影杏花飄，衫袖凌風酒色消。
數道松杉殘日裏，春深立馬望華橋。
——明·湯顯祖《青陽道中》

綠葉青蔥傍石栽，孤根不與衆花開。
酒闌展卷山窗下，習習香從紙上來。
——明·董其昌《蘭》

家住錢塘西子湖，釣竿幾度拂珊瑚。
扁舟載月歸來晚，不覺全身入畫圖。
——明·凌雲翰《西湖漁者》

從游指點南高勝，躡屩攀蘿興不賒。

畫裏餘杭人賣酒，鏡中湖曲棹穿花。
千巖半出分秋雨，一徑微明逗晚霞。
最是夜歸幽絕處，疏林燈火傍漁家。
——明·王世貞《游南高峰》

瓊枝只合在瑤臺，誰向江南處處栽。
雪滿山中高士臥，月明林下美人來。
寒依疏影蕭蕭竹，春掩殘香漠漠苔。
自去何郎無好韻，東風愁寂幾回開。
——明·高啓《梅花》

野寺分晴樹，山亭過晚霞。
春深無客到，一路落松花。
——清·施閏章《山行》

西風斷雁聲，落葉回風舞。
人坐夕陽亭，空翠下如雨。
——清·陳文述《庚山草堂題壁》

一翠撲人冷，空濛溯卻遥。
湖光飛闕外，宫月淡林梢。
春暮烟霞潤，天和草木驕。
桃花零落處，上苑亦紅潮。
——清·龔自珍《雜詩》

草長鶯飛二月天，拂堤楊柳醉春烟。
兒童散學歸來早，忙趁東風放紙鳶。
——清·高鼎《村居》

藹藹山光映碧空，參差樹影亂西風。
蘆花幾朵明如雪，吹在横橋曲澗中。
——清·袁杼《秋園踏月》

坐看倒影浸天河，風過欄杆水不波。
想見夜深人散後，滿湖螢火比星多。
——清·何紹基《慈仁寺荷花池》

數聲牧笛訴斜陽，水面輕風送薄涼。
開謝百花春去久，野田蝴蝶尚尋香。
——清・王倩《舟行雜咏》

農家夏日最奔忙，偶趁清風追晚涼。
夜月柳陰人半寢，邨翁荒渺説隋唐。
——清・張裕釗《無題》

霧樹溟濛叫亂鴉，濕雲初變早來霞。
東風已緑先春草，細雨猶寒後夜花。
村艇隔烟呼鴨鶩，酒家依岸扎籬笆。
深居久矣忘塵世，莫遣江聲入遠沙。
——清・鄭燮《村居》

懶慢從來應接疏，閉門掃地足閑居。
荆妻拭硯磨新墨，弱女持箋索楷書。
柿葉微霜千點赤，紗厨斜日半窗虛。
江南大好秋蔬菜，紫笋紅姜煮鯽魚。
——清・鄭燮《閑居》

恰好新晴放野航，輕鷗個個出回塘。
一溪緑水皆春雨，兩岸青山半夕陽。
時節剛逢挑菜好，女兒多見採茶忙。
沙頭剩有桃花片，流出村來百里香。
——清・端木國瑚《沙灣放船》

抒情言志

秋風起兮白雲飛，草木黃落兮雁南歸。
蘭有秀兮菊有芳，懷佳人兮不能忘。
泛樓船兮濟汾河，橫中流兮揚素波。
簫鼓鳴兮發棹歌，歡樂極兮哀情多。
少壯幾時兮奈老何！
——漢・武帝《秋風辭》

練余心兮浸太清，滌穢濁兮存正靈。
和液暢兮神氣寧，情志泊兮心亭亭。
嗜慾息兮無由生，踔宇宙而遺俗兮，
眇翩翩而獨征。

——漢·蔡邕《琴歌》

新裂齊紈素，鮮潔如霜雪。
裁爲合歡扇，團團似明月。
出入君懷袖，動摇微風發。
常恐秋節至，涼風奪炎熱。
棄捐篋笥中，恩情中道絶。

——《漢樂府·怨歌行》

神龜雖壽，猶有竟時。
螣蛇乘霧，終爲土灰。
老驥伏櫪，志在千里；
烈士暮年，壯心不已。
盈縮之期，不但在天；
養怡之福，可得永年。
幸甚至哉，歌以咏志。

——三國·魏·曹操《龜雖壽》

東臨碣石，以觀滄海。
水何淡淡，山島竦峙。
樹木叢生，百草豐茂。
秋風蕭瑟，洪波湧起。
日月之行，若出其中。
星漢燦爛，若出其裏。
幸甚至哉，歌以咏志。

——三國·魏·曹操《觀滄海》

對酒當歌，人生幾何？
譬如朝露，去日苦多。
慨當以慷，憂思難忘。
何以解憂？惟有杜康。
青青子衿，悠悠我心。

但爲君故，沉吟至今。
呦呦鹿鳴，食野之萍。
我有嘉賓，鼓瑟吹笙。
明明如月，何時可掇？
憂從中來，不可斷絶。
越陌度阡，枉用相存。
契闊談宴，心念舊恩。
月明星稀，烏鵲南飛。
繞樹三匝，何枝可依？
山不厭高，海不厭深。
周公吐哺，天下歸心。
——三國·魏·曹操《短歌行》

亭亭山上松，瑟瑟谷中風。
風聲一何盛，松枝一何勁。
冰霜正慘凄，終歲常端正。
豈不罹凝寒？松柏有本性。
——三國·魏·劉楨《贈從弟三首·其二》

高臺多悲風，朝日照北林。
之子在萬里，江湖迥且深。
方舟安可極，離思故難任。
孤雁飛南游，過庭長哀吟。
翹思慕遠人，願欲托遺音。
形影忽不見，翩翩傷我心。
——三國·魏·曹植《雜詩七首·其一》

朝陽不再盛，白日忽西幽。
去此若俯仰，如何似九秋？
人生若塵露，天道邈悠悠。
齊景升丘山，涕泗紛交流。
孔聖臨長川，惜逝忽若浮。
去者余不及，來者吾不留。
願登太華山，上與松子游。

漁父知世患，乘流泛輕舟。
——三國·魏·阮籍《咏懷》

息徒蘭圃，秣馬華山。
流磻平皋，垂綸長川。
目送歸鴻，手揮五弦。
俯仰自得，游心太玄。
嘉彼釣叟，得魚忘筌。
郢人逝矣，誰可盡言。
——三國·魏·嵇康《贈兄秀才從軍十八首·其十四》

弱冠弄柔翰，卓犖觀群書。
著論準《過秦》，作賦擬《子虛》。
邊城苦鳴鏑，羽檄飛京都。
雖非甲胄士，疇昔覽《穰苴》。
長嘯激清風，志若無東吴。
鉛刀貴一割，夢想騁良圖。
左眄澄江湘，右盼定羌胡。
功成不受爵，長揖歸田廬。
——晋·左思《咏史八首·其一》

生平少年日，分手易前期。
及爾同衰暮，非復别離時。
勿言一樽酒，明日難重持。
夢中不識路，何以慰相思？
——南北朝·沈約《别范安成》

歷稔共追隨，一旦辭群匹。
復如東注水，未有西歸日。
夜雨滴空階，曉燈暗離室。
相悲各罷酒，何時同促膝？
——南朝·何遜《臨行與故游夜别》

居人行轉軾，客子暫維舟。
念此一筵笑，分爲兩地愁。

露濕寒塘草，月映清淮流。
方抱新離恨，獨守故園秋。

——南朝・何遜《與胡興安夜別》

對案不能食，拔劍擊柱長嘆息。
丈夫生世會幾時？
安能蹀躞垂羽翼！
棄置罷官去，還家自休息。
朝出與親辭，暮還在親側。
弄兒床前戲，看婦機中織。
自古聖賢盡貧賤，何況我輩孤且直！

——南朝・鮑照《擬行路難十八首・其六》

輕鴻戲江潭，孤雁集洲沚。
邂逅兩相親，緣念共無已。
風雨好東西，一隔頓萬里。
追憶棲宿時，聲容滿心耳。
落日川渚寒，愁雲繞天起。
短翮不能翔，徘徊烟霧裏。

——南朝・鮑照《贈傅都曹別》

歲暮懷感傷，中夕弄清琴。
戾戾曙風急，團團明月陰。
孤雲出北山，宿鳥驚東林。
誰謂人道廣，憂慨自相尋。
寧知霜雪後，獨見松竹心。

——南朝・江淹《效阮公詩十五首・其一》

常愛西林寺，池中月出時。
芭蕉一片葉，書取寄吾師。

——唐・釋皎然《贈融上人》

山中相送罷，日暮掩柴扉。

春草明年緑，王孫歸不歸？

——唐・王維《送別》

泠泠七弦上，靜聽松風寒。
古調雖自愛，今人多不彈。

——唐・劉長卿《聽彈琴》

懷君屬秋夜，散步咏凉天。
空山松子落，幽人應未眠。

——唐・韋應物《秋夜寄邱員外》

緑螘新醅酒，紅泥小火爐。
晚來天欲雪，能飲一杯無？

——唐・白居易《問劉十九》

玉階生白露，夜久侵羅襪。
却下水精簾，玲瓏望秋月。

——唐・李白《玉階怨》

前不見古人，後不見來者，
念天地之悠悠，獨愴然而涕下。

——唐・陳子昂《登幽州臺歌》

枝幹怪鱗皴，烟梢出澗新。
屈盤高極目，蒼翠遠驚人。
待鶴移陰過，聽風落子頻。
青青寒木外，自與九霄鄰。

——唐・釋無可《松》

移家雖帶郭，野徑入桑麻。
近種籬邊菊，秋來未著花。
叩門無犬吠，欲去問西家。
報道山中去，歸來每日斜。

——唐・僧皎然《尋陸鴻漸不遇》

下馬飲君酒，問君何所之？
君言不得意，歸卧南山陲。
但去莫復問，白雲無盡時。
——唐・王維《送別》

晚年惟好静，萬事不關心。
自顧無長策，空知返舊林。
松風吹解帶，山月照彈琴。
君問窮通理，漁歌入浦深。
——唐・王維《酬張少府》

中歲頗好道，晚家南山陲。
興來每獨往，勝事空自知。
行到水窮處，坐看雲起時。
偶然值林叟，談笑無還期。
——唐・王維《終南別業》

八月湖水平，涵虚混太清。
氣蒸雲夢澤，波撼岳陽城。
欲濟無舟楫，端居耻聖明。
坐觀垂釣者，徒有羡魚情。
——唐・孟浩然《臨洞庭上張丞相》

木落雁南度，北風江上寒。
我家襄水曲，遥隔楚雲端。
鄉淚客中盡，孤帆天際看。
迷津欲有問，平海夕漫漫。
——唐・孟浩然《早寒有懷》

寂寂竟何待。朝朝空自歸。
欲尋芳草去，惜與故人違。
當路誰相假？知音世所稀。
只因守寂寞，還掩故園扉。
——唐・孟浩然《留別王維》

人事有代謝，往來成古今。
江山留勝迹，我輩復登臨。
水落魚梁淺，天寒夢澤深。
羊公碑尚在，讀罷淚沾襟。

——唐·孟浩然《與諸子登峴山》

吾愛孟夫子，風流天下聞。
紅顏棄軒冕，白首卧松雲。
醉月頻中聖，迷花不事君。
高山安可仰，徒此揖清芬。

——唐·李白《贈孟浩然》

渡遠荊門外，來從楚國游。
山隨平野盡，江入大荒流。
月下飛天鏡，雲生結海樓。
仍憐故鄉水，萬里送行舟。

——唐·李白《渡荊門送别》

青山横北郭，白水繞東城。
此地一爲别，孤蓬萬里征。
浮雲游子意，落日故人情。
揮手自兹去，蕭蕭班馬鳴。

——唐·李白《送友人》

江漢曾爲客，相逢每醉還。
浮雲一别後，流水十年間。
歡笑情如舊，蕭疏鬢已斑。
何因不歸去，淮上對秋山。

——唐·韋應物《淮上喜會梁州故人》

楚江微雨裏，建業暮鐘時。
漠漠帆來重，冥冥鳥去遲。
海門深不見，浦樹遠含滋。
相送情無限，沾襟比散絲。

——唐·韋應物《賦得暮雨送李曹》

細草微風岸，危檣獨夜舟。
星垂平野闊，月湧大江流。
名豈文章著，官應老病休。
飄飄何所似，天地一沙鷗。
——唐·杜甫《旅夜書懷》

岱宗夫如何？齊魯青未了。
造化鍾神秀，陰陽割昏曉。
盪胸生層雲，決眦入歸鳥。
會當凌絕頂，一覽衆山小。
——唐·杜甫《望岳》

天秋月又滿，城闕夜千重。
還作江南會，翻疑夢裏逢。
風枝驚暗鵲，露草覆寒蟲。
羈旅長堪醉，相留畏曉鐘。
——唐·戴叔倫《江鄉故人偶集客舍》

旅館無良伴，凝情自悄然。
寒燈思舊事，斷雁警愁眠。
遠夢歸侵曉，家書到隔年。
滄江好烟月，門繫釣魚船。
——唐·杜牧《旅宿》

獨有宦游人，偏驚物候新。
雲霞出海曙，梅柳渡江春。
淑氣催黃鳥，晴光轉緑蘋。
忽聞歌古調，歸思欲沾襟。
——唐·杜審言《和晉陵陸丞早春游望》

海上生明月，天涯共此時。
情人怨遥夜，竟夕起相思。

滅燭憐光滿，披衣覺露滋。
不堪盈手贈，還寢夢佳期。
——唐·張九齡《望月懷遠》

城闕輔三秦，風烟望五津。
與君離別意，同是宦游人。
海内存知己，天涯若比鄰。
無爲在歧路，兒女共沾巾。
——唐·王勃《杜少府之任蜀州》

荒戍落黄葉，浩然離故關。
高風漢陽渡，初日郢門山。
江上幾人在，天涯孤櫂還。
何當重相見，尊酒慰離顔。
——唐·温庭筠《送人東游》

清瑟怨遥夜，繞絃風雨哀。
孤燈聞楚角，殘月下章臺。
芳草已云暮，故人殊未來。
鄉書不可寄，秋雁又南回。
——唐·韋莊《章臺夜思》

花間一壺酒，獨酌無相親。
舉杯邀明月，對影成三人。
月既不解飲，影徒隨我身。
暫伴月將影，行樂須及春。
我歌月徘徊，我舞影零亂。
醒時同交歡，醉後各分散。
永結無情游，相期邈雲漢。
——唐·李白《月下獨酌》

暮從碧山下，山月隨人歸。
卻顧所來徑，蒼蒼横翠微。
相攜及田家，童稚開荆扉。

緑竹入幽徑，青蘿拂行衣。
歡言得所憩，美酒聊共揮。
長歌吟松風，曲盡河星稀。
我醉君復樂，陶然共忘機。

——唐·李白《下終南山過斛斯山人宿置酒》

聖代無隱者，英靈盡來歸。
遂令東山客，不得顧采薇。
既至金門遠，孰云吾道非？
江淮度寒食，京洛縫春衣。
置酒長安道，同心與我違。
行當浮桂棹，未幾拂荊扉。
遠樹帶行客，孤城當落暉。
『吾謀適不用』，勿謂知音稀。

——唐·王維《送綦毋潛落第還鄉》

蘭葉春葳蕤，桂華秋皎潔。
欣欣此生意，自爾爲佳節。
誰知林棲者，聞風坐相悅。
草木有本心，何求美人折。

江南有丹橘，經冬猶緑林。
豈伊地氣暖，自有歲寒心。
可以薦嘉客，奈何阻重深。
運命惟所遇，循環不可尋。
徒言樹桃李，此木豈無陰？

——唐·張九齡《感遇十二首·其二》

人生不相見，動如參與商。
今夕復何夕，共此燈燭光。
少壯能幾時，鬢髮各已蒼。
訪舊半爲鬼，驚呼熱中腸。

焉知二十載，重上君子堂。
昔別君未婚，兒女忽成行。
怡然敬父執，問我來何方？
問答乃未已，驅兒羅酒漿。
夜雨剪春韭，新炊間黃粱。
主稱會面難，一舉累十觴。
十觴亦不醉，感子故意長。
明日隔山岳，世事兩茫茫。

——唐·杜甫《贈衛八處士》

浮雲終日行，游子久不至。
三夜頻夢君，情親見君意。
告歸常局促，苦道來不易。
江湖多風波，舟楫恐失墜。
出門搔白首，若負平生志。
冠蓋滿京華，斯人獨憔悴。
孰云網恢恢？將老身反累。
千秋萬歲名，寂寞身後事。

——唐·杜甫《夢李白·其一》

汲井漱寒齒，清心拂塵服。
閑持貝葉書，步出東齋讀。
真源了無取，妄迹世所逐。
遺言冀可冥，繕性何由熟？
道人庭宇靜，苔色連深竹。
日出霧露餘，青松如膏沐。
淡然離言說，悟悅心自足。

——唐·柳宗元《晨詣超師院讀禪經》

獨在异鄉爲异客，每逢佳節倍思親。
遥知兄弟登高處，遍插茱萸少一人。

——唐·王維《九月九日憶山東兄弟》

渭城朝雨裛輕塵，客舍青青柳色新。
勸君更盡一杯酒，西出陽關無故人。

——唐·王維《渭城曲》

寒雨連江夜入吳，平明送客楚山孤。
洛陽親友如相問，一片冰心在玉壺。

——唐·王昌齡《芙蓉樓送辛漸》

故人西辭黃鶴樓，烟花三月下揚州。
孤帆遠影碧空盡，惟見長江天際流。

——唐·李白《黃鶴樓送孟浩然之廣陵》

朝辭白帝彩雲間，千里江陵一日還。
兩岸猿聲啼不住，輕舟已過萬重山。

——唐·李白《早發白帝城》

獨憐幽草澗邊生，上有黃鸝深樹鳴。
春潮帶雨晚來急，野渡無人舟自横。

——唐·韋應物《滁州西澗》

新妝宜面下朱樓，深鎖春光一院愁。
行到中庭數花朵，蜻蜓飛上玉搔頭。

——唐·劉禹錫《春詞》

多情却是總無情，惟覺樽前笑不成。
蠟燭有心還惜别，替人垂淚到天明。

——唐·杜牧《贈别二首·其一》

繁華事散逐香塵，流水無情草自春。
日暮東風怨啼鳥，落花猶似墜樓人。

——唐·杜牧《金谷園》

君問歸期未有期，巴山夜雨漲秋池。
何當共翦西窗燭，却話巴山夜雨時。

——唐·李商隱《夜雨寄北》

冰簟銀床夢不成，碧天如水夜雲輕。
雁聲遠過瀟湘去，十二樓中月自明。
——唐·温庭筠《瑶瑟怨》

江雨霏霏江草齊，六朝如夢鳥空啼。
無情最是臺城柳，依舊烟籠十里堤。
——唐·韋莊《金陵圖》

别夢依依到謝家，小廊回合曲闌斜。
多情只有春庭月，猶爲離人照落花。
——唐·張泌《寄人》

近寒食雨草萋萋，著麥苗風柳映堤。
等是有家歸未得，杜鵑休向耳邊啼。
——唐·無名氏《雜詩》

黄河遠上白雲間，一片孤城萬仞山。
羌笛何須怨楊柳，春風不度玉門關。
——唐·王之涣《出塞》

去年花裏逢君别，今日花開又一年。
世事茫茫難自料，春愁黯黯獨成眠。
身多疾病思田里，邑有流亡愧俸錢。
聞道欲來相問訊，西樓望月幾回圓。
——唐·韋應物《寄李儋元錫》

風急天高猿嘯哀，渚清沙白鳥飛回。
無邊落木蕭蕭下，不盡長江滚滚來。
萬里悲秋常作客，百年多病獨登臺。
艱難苦恨繁霜鬢，潦倒新停濁酒杯。
——唐·杜甫《登高》

昨夜星晨昨夜風，畫樓西畔桂堂東。
身無彩鳳雙飛翼，心有靈犀一點通。

隔座送鈎春酒暖，分曹射覆蠟燈紅。
嗟餘聽鼓應官去，走馬蘭臺類轉蓬。

——唐·李商隱《無題》

相見時難別亦難，東風無力百花殘。
春蠶到死絲方盡，蠟炬成灰淚始乾。
曉鏡但愁雲鬢改，夜吟應覺月光寒。
蓬萊此去無多路，青鳥殷勤爲探看。

——唐·李商隱《無題》

悵卧新春白袷衣，白門寥落意多違。
紅樓隔雨相望冷，珠箔飄燈獨自歸。
遠路應悲春晼晚，殘宵猶得夢依稀。
玉璫緘札何由達？萬里雲羅一雁飛。

——唐·李商隱《春雨》

王濬樓船下益州，金陵王氣黯然收。
千尋鐵鎖沈江底，一片降旛出石頭。
人世幾回傷往事，山形依舊枕寒流。
從今四海爲家日，故壘蕭蕭蘆荻秋。

——唐·劉禹錫《西塞山懷古》

主人有酒歡今夕，請奏鳴琴廣陵客。
月照城頭烏半飛，霜淒萬木風入衣。
銅鑪華燭燭增輝，初彈淥水後楚妃。
一聲已動物皆靜，四座無言星欲稀。
清淮奉使千餘里，敢告雲山從此始。

——唐·李頎《琴歌》

四月南風大麥黃，棗花未落桐葉長。
青山朝別暮還見，嘶馬出門思舊鄉。
陳侯立身何坦蕩，虬鬚虎眉仍大顙。
腹中貯書一萬卷，不肯低頭在草莽。
東門酤酒飲我曹，心輕萬事如鴻毛。

醉臥不知白日暮，有時空望孤雲高。
長河浪頭連天黑，津吏停舟渡不得。
鄭國游人未及家，洛陽行子空歎息。
聞道故林相識多，罷官昨日今如何。

——唐·李頎《送陳章甫》

棄我去者昨日之日不可留，
亂我心者今日之日多煩憂。
長風萬里送秋雁，對此可以酣高樓。
蓬萊文章建安骨，中間小謝又清發，
俱懷逸興壯思飛，欲上青天覽日月。
抽刀斷水水更流，舉杯消愁愁更愁，
人生在世不稱意，明朝散髮弄扁舟。

——唐·李白《宣州謝脁樓餞別校書叔雲》

金樽清酒斗十千，玉盤珍羞直萬錢。
停杯投筯不能食，拔劍四顧心茫然。
欲渡黃河冰塞川，將登太行雪暗天。
閑來垂釣坐溪上，忽復乘舟夢日邊。
行路難，行路難，多歧路，今安在？
長風破浪會有時，直掛雲帆濟滄海。

——唐·李白《行路難·其一》

君不見黃河之水天上來，奔流到海不復回。
君不見高堂明鏡悲白髮，朝如青絲暮成雪。
人生得意須盡歡，莫使金樽空對月。
天生我材必有用，千金散盡還復來。
烹羊宰牛且爲樂，會須一飲三百杯。
岑夫子，丹邱生，將進酒，杯莫停。
與君歌一曲，請君爲我傾耳聽。

鐘鼓饌玉不足貴，但願長醉不願醒。
古來聖賢皆寂寞，唯有飲者留其名。
陳王昔時宴平樂，斗酒十千恣歡謔。
主人何爲言少錢，徑須沽取對君酌。
五花馬，千金裘，呼兒將出換美酒，
與爾同銷萬古愁。

——唐・李白《將進酒》

我本楚狂人，鳳歌笑孔丘。
手持緑玉杖，朝別黃鶴樓。
五岳尋山不辭遠，一生好入名山游。
廬山秀出南斗旁，屏風九疊雲錦張，
影落明湖青黛光。
金闕前開二峰長，銀河倒掛三石梁。
香爐瀑布遥相望，回崖沓嶂凌蒼蒼。
翠影紅霞映朝日，鳥飛不到吴天長。
登高壯觀天地間，大江茫茫去不還。
黃雲萬里動風色，白波九道流雪山。
好爲廬山謠，興因廬山發。
閑窺石鏡清我心，謝公行處蒼苔没。
早服還丹無世情，琴心三疊道初成。
遥見仙人彩雲裏，手把芙蓉朝玉京。
先期汗漫九垓上，願接盧敖游太清。

——唐・李白《廬山謠寄盧侍御虚舟》

海客談瀛洲，烟濤微茫信難求。
越人語天姥，雲霞明滅或可覩。
天姥連天向天横，勢拔五岳掩赤城。
天台四萬八千丈，對此欲倒東南傾。
我欲因之夢吴越，一夜飛渡鏡湖月。
湖月照我影，送我至剡溪。
謝公宿處今尚在，緑水蕩漾清猿啼。
脚著謝公屐，身登青雲梯。

半壁見海日，空中聞天鷄。
千巖萬壑路不定，迷花倚石忽已暝；
熊咆龍吟殷巖泉，慄深林兮驚層巔；
雲青青兮欲雨，水澹澹兮生烟。
列缺霹靂，邱巒奔摧；
洞天石扉，訇然中開。
青冥浩蕩不見底，日月照耀金銀臺。
霓爲衣兮風爲馬，雲之君兮紛紛而來下。
虎鼓瑟兮鸞回車，仙之人兮列如麻。
忽魂悸以魄動，怳驚起而長嗟。
惟覺時之枕席，失向來之烟霞。
世間行樂亦如此，古來萬事東流水。
別君去矣何時還？且放白鹿青崖間，
須行即騎向名山。安能摧眉折腰事權貴，使我不得開心顏？

——唐·李白《夢游天姥吟留別》

天質自森森，孤高幾百尋。
凌霄不屈己，得地本虛心。

——宋·王安石《孤桐》

凜然相對敢相欺，直幹凌空未要奇。
根到九泉無曲處，世間惟有蟄龍知。

——宋·蘇軾《王復秀才所居雙檜》

半畝方塘一鑑開，天光雲影共徘徊。
問渠那得清如許？爲有源頭活水來。

——宋·朱熹《觀書有感》

勝日尋芳泗水濱，無邊光景一時新。
等閑識得東風面，萬紫千紅總是春。

——宋·朱熹《春日》

古人學問無遺力，少壯工夫老始成。

紙上得來終覺淺，絶知此事要躬行。

——宋·陸游《冬夜讀書示子聿》

春水長流鳥自飛，偶然相值不相知。
請君試採中塘藕，若道心空却有絲。

——宋·張耒《偶題》

庭户無人秋月明，夜霜欲落氣先清。
梧桐真不甘衰謝，數葉迎風尚有聲。

——宋·張耒《夜坐》

飛來山上千尋塔，聞説鷄鳴見日昇。
不畏浮雲遮望眼，自緣身在最高層。

——宋·王安石《登飛來峰》

漫漫平沙走白虹，瑶臺失手玉杯空。
晴天摇動清江底，晚日浮沉急浪中。

——宋·陳師道《十七日觀潮》

書當快意讀易盡，客有可人期不來。
世事相違每如此，好懷百歲幾回開？

——宋·陳師道《絶句》

急須乘興賞春英，莫待空枝漫寄聲。
淑景晴風前日事，淡雲微雨此時情。

——宋·程顥《和諸公梅臺》

意匠如神變化生，筆端有力任縱横。
須教自我胸中出，切忌隨人脚後行。

——宋·戴復古《論詩》

傘幄垂垂馬踏沙，水長山遠路多花。
眼中形勢胸中策，緩步徐行静不嘩。

——宋·宗澤《早發》

平野風烟入夢思，殷勤作畫更題詩。
扁舟卧聽橫塘雨，恰遇江南歸雁時。

——宋・蔡肇《泛舟橫塘遇雨》

風捲寒雲暮雪晴，江烟洗盡柳條輕。
檐前數片無人掃，又得書窗一夜明。

——唐・戎昱《霽雪》

長柏高柟蔭廣庭，夜凉人静夢魂清。
不知山月幾時落，每到曉鐘聞雨聲。

——宋・文同《郡學鎖宿》

黄梅時節家家雨，青草池塘處處蛙。
有約不來過夜半，閑敲棋子落燈花。

——宋・趙師秀《約客》

草滿池塘水滿陂，山銜落日浸寒漪。
牧童歸去橫牛背，短笛無腔信口吹。

——宋・雷震《村晚》

世味年來薄似紗，誰令騎馬客京華。
小樓一夜聽春雨，深巷明朝賣杏花。
矮紙斜行閑作草，晴窗細乳戲分茶。
素衣莫起風塵嘆，猶及清明可到家。

——宋・陸游《臨安春雨初霽》

春風疑不到天涯，二月山城未見花。
殘雪壓枝猶有橘，凍雷驚笋欲抽芽。
夜聞歸雁生鄉思，病入新年感物華。
曾是洛陽花下客，野芳雖晚不須嗟。

——宋・歐陽修《戲答元珍》

油壁香車不再逢，峽雲無迹任西東。
梨花院落溶溶月，柳絮池塘淡淡風。

幾日寂寥傷酒後，一番蕭索禁烟中。
魚書欲寄何由達？水遠山長處處同。
——宋·晏殊《寓意》

衆芳摇落獨暄妍，佔盡風情向小園。
疏影横斜水清淺，暗香浮動月黄昏。
霜禽欲下先偷眼，粉蝶如知合斷魂。
幸有微吟可相狎，不須檀板共金樽。
——宋·林逋《山園小梅》

辛苦遭逢起一經，干戈寥落四周星。
山河破碎風飄絮，身世浮沉雨打萍。
惶恐灘頭説惶恐，零丁洋裏嘆零丁。
人生自古誰無死，留取丹心照汗青。
——宋·文天祥《過零丁洋》

余囚北庭，坐一土室。室廣八尺，深可四尋。單扉低小，白間短窄，污下而幽暗。當此夏日，諸氣萃然：雨潦四集，浮動床几，時則爲水氣；塗泥半朝，蒸漚歷瀾，時則爲土氣；乍晴暴熱，風道四塞，時則爲日氣；檐陰薪爨，助長炎虐，時則爲火氣；倉腐寄頓，陳陳逼人，時則爲米氣；駢肩雜遝，腥臊污垢，時則爲人氣；或圊溷，或毁尸，或腐鼠，惡氣雜出，時則爲穢氣。疊是數氣，當浸沴鮮不爲厲，而予以孱弱俯仰其間，於兹二年矣，無恙，是殆有養致然。然爾亦安知所養何哉？孟子曰：『我善養吾浩然之氣。』彼氣有七，吾氣有一，以一敵七，吾何患焉！况浩然者，乃天地之正氣也。作《正氣歌》

一首

天地有正氣，雜然賦流形。
下則爲河岳，上則爲日星。
于人曰浩然，沛乎塞蒼冥。
皇路當清夷，含和吐明庭。
時窮節乃現，一一垂丹青：
在齊太史簡，在晋董狐筆。
在秦張良椎，在漢蘇武節。
爲嚴將軍頭，爲嵇侍中血。
爲張睢陽齒，爲顔常山舌。
或爲遼東帽，清操厲冰雪。
或爲出師表，鬼神泣壯烈。
或爲渡江楫，慷慨吞胡羯。
或爲擊賊笏，逆豎頭破裂。
是氣所磅礴，凛烈萬古存。
當其貫日月，生死安足論。
地維賴以立，天柱賴以尊。
三綱實繫命，道義爲之根。
嗟余遘陽九，隸也實不力。
楚囚纓其冠，傳車送窮北。
鼎鑊甘如飴，求之不可得。
陰房闃鬼火，春院閟天黑。
牛驥同一皂，鷄棲鳳凰食。
一朝蒙霧露，分作溝中瘠。
如此再寒暑，百沴自辟易。
哀哉沮洳場，爲我安樂國。
豈有他繆巧，陰陽不能賊。
顧此耿耿在，仰視浮雲白。
悠悠我心憂，蒼天曷有極？
哲人日已遠，典刑在夙昔。
風檐展書讀，古道照顔色。

——宋・文天祥《正氣歌并序》

臘轉鴻鈞歲已殘，東風剪水下天壇。

剩添吴楚千江水，壓倒秦淮萬里山。
風竹婆娑銀鳳舞，雲松偃蹇玉龍寒。
不知天上誰橫笛，吹落瓊花滿世間。
——元·吴澄《咏雪》

久客懷歸思悵然，松間茅屋女蘿牽。
三杯桃李春風酒，一榻菰蒲夜雨船。
鴻迹偶曾留雪渚，鶴情原只在芝田。
他鄉未若還家樂，綠樹年年叫杜鵑。
——元·倪瓚《懷歸》

爲君不惜送行詩，但恨蒹葭失所依。
流水盡朝東海去，孤雲只向太行飛。
仕途冰炭收心早，客路參商見面稀。
一曲陽關歌未徹，聲聲頭上聽催歸。
——元·李俊民《用趙之美留別韻》

不識別家久，但看明月輝。
關山一以鑒，驛路遠相違。
影落吴雲盡，涼生楚樹微。
天邊有烏鵲，思與共南飛。
——明·皇甫汸《舟中對月書情》

扁舟當曉發，沙岸杳然空。
人語蠻烟外，鷄鳴海色中。
短衣曾去國，白首尚飄蓬。
不讀荆軻傳，羞爲一劍雄。
——明·龔賢《扁舟》

幽人夜未眠，月出每孤往。
繁林亂螢照，村屋人語響。
宿鳥時一鳴，草徑露微上。
欣然意有會，誰與共心賞？
——明·高攀龍《夜步》

酒闌客散小堂空，旋捲珠簾受晚風。
坐久忽驚凉影動，一痕新月在梧桐。
——明·文徵明《閑興》

楊柳陰陰十畝塘，昔人曾此咏滄浪。
春風依舊吹芳杜，陳迹無多半夕陽。
積雨經時荒渚斷，跳魚一聚晚風凉。
渺然詩思江湖近，更欲相携上野航。
——明·文徵明《滄浪池上》

江城秋色净堪憐，翠柳鳴蜩鎖斷烟。
南國新凉歌白苧，西湖夜雨落紅蓮。
美人寂寞空愁暮，華髮凋零不待年。
莫去倚欄添悵望，夕陽多在小樓前。
——明·文徵明《新秋》

楓林霜葉净江烟，錦石游魚清可憐。
賈客帆檣雲裏見，仙人樓閣鏡中懸。
九秋查影橫清漢，一笛梅花落遠天。
無限滄州漁父意，夜深高咏獨鳴舷。
——明·張居正《舟泊漢江望黃鶴樓》

桃花塢裏桃花庵，桃花庵裏桃花仙。
桃花仙人種桃花，又折花枝換酒錢。
酒醒只在花間坐，酒醉還來花下眠。
半醒半醉日復日，花開花落年復年。
但願老死花酒間，不願鞠躬車馬前。
車塵馬足貴者趣，酒盞花枝貧者緣。
若將貧賤比貧者，一在平地一在天。
若將貧者比車馬，他得驅馳我得閑。
他人笑我太痴癲，我笑他人看不穿。
不見五陵豪杰墓，無花無酒鋤做田。
——明·唐寅《桃花庵歌》

九州生氣恃風雷，萬馬齊喑究可哀。
我勸天公重抖擻，不拘一格降人材。

——清·龔自珍《己亥雜詩》

浩蕩離愁白日斜，吟鞭東指即天涯。
落紅不是無情物，化作春泥更護花。

——清·龔自珍《己亥雜詩》

不是逢人苦譽君，亦狂亦俠亦温文。
照人膽似秦時月，送我情似嶺上雲。

——清·龔自珍《己亥雜詩》

柳絮風吹上樹枝，桃花風送落清池。
升沉好像春風意，及問春風風不知。

——清·袁枚《偶見》

浮瓜沉李傍清池，香隔重簾散每遲。
何處凉多何處坐，四時筆硯逐風移。

——清·袁枚《消夏詩》

高捲湘簾待月明，尋詩不覺到深更。
一輪皎潔當空照，萬里無雲夜氣清。

——清·席佩蘭《月夜》

坐擁寒衾思悄然，殘燈挑盡未成眠。
紗窗月落花無影，只有鐘聲到枕邊。

——清·席佩蘭《鐘聲》

二月清明柳最嬌，春痕紅到海棠梢。
寄聲梁上雙飛燕，好啄香泥補舊巢。

——清·袁機《春懷》

暮雲千里亂吴峰，落葉微聞遠寺鐘。
日盡長江秋草外，美人何處采芙蓉。

——清・惲壽平《遠眺》

池塘春草妙難尋，泥落空梁苦用心。
若比大江流日夜，哀絲豪竹在知音。

——清・宋湘《説詩》

造物無言却有情，每於寒盡覺春生。
千紅萬紫安排著，只待新雷第一聲。

——清・張維屏《新雷》

終古高雲簇此城，秋風吹散馬蹄聲。
河流大野猶嫌束，山入潼關不解平。

——清・譚嗣同《潼關》

天龍作騎萬靈從，獨立飛來縹緲峰。
懷抱芳馨蘭一握，縱橫宙合霧千重。
眼中戰國成争鹿，海内人材孰卧龍。
撫劍長號歸去也，千山風雨嘯青鋒。

——清・康有爲《出都留別諸公》

論書詩

右軍本清真，瀟灑出風塵。
山陰過羽客，愛此好鵝賓。
掃素寫道經，筆精妙入神，
書罷籠鵝去，何曾別主人。

——唐・李白《王右軍》

何處一屏風，分明懷素踪。
雖多塵色染，猶見墨痕濃。
怪石奔秋澗，寒藤掛古松。
若教臨水畔，字字恐成龍。

——唐・韓偓《草書屏風》

張公性嗜酒，豁達無所營，
皓首窮草隸，時稱太湖精。
露頂據胡床，長叫三五聲，
興來灑素壁，揮筆如流星。
下舍風蕭條，寒草滿戶庭。
問家何所有，生事如浮萍。
左手持蟹螯，右手執丹經，
瞪目視霄漢，不知醉與醒。
諸賓且方坐，旭日臨東城。
荷葉裹江魚，白甌貯香秔。
微祿心不屑，放神於八紘。
時人不識者，即是安期生。

——唐・李頎《贈張旭》

志在新奇無定則，古瘦漓纚半無墨。
醉來信手兩三行，醒後欲書書不得。

——唐・許瑤《題懷素上人草書》

少年上人號懷素，草書天下稱獨步。
墨池飛出北溟魚，筆鋒殺盡山中兔。
八月九月天氣凉，酒徒辭客滿高堂。
箋麻素絹排數廂，宣州石硯墨色光。
吾師醉後倚繩床，須臾掃盡數千張。
飄風驟雨驚颯颯，落花飛雪何茫茫。
起來向壁不停手，一行數字大如斗。
怳怳如聞神鬼驚，時時只見龍蛇走。
左盤右蹙如驚電，狀如楚漢相攻戰。
湖南七郡凡幾家，家家屏障書題遍。
王逸少，張伯英，古來幾許浪得名。
張顛老死不足數，我師此義不師古。
古來萬事貴天真，何必要公孫大娘
舞渾脱？

——唐・李白《草書歌行》

高樓賀監昔曾登，壁上筆踪龍虎騰。

中國書流讓皇象，北朝文士重徐陵。
偶因獨見空驚目，恨不同時便伏膺。
唯恐塵埃轉磨滅，再三珍重囑山僧。

——唐·劉禹錫《洛中寺北樓見賀監草書題詩》

吾觀文士多利用，筆精墨妙誠堪重。
身上藝能無不通，就中草聖最天縱。
有時興酣發神機，抽毫點墨縱橫揮。
風聲吼烈隨手起，龍蛇迸落空壁飛。
連拂數行勢不絕，藤懸查蹙生奇節。
劃然放縱驚雲濤，或時頓挫縈毫髮。
自言轉腕無所拘，大笑羲之用陣圖。
狂來紙盡勢不盡，投筆抗聲連呼叫。
信知鬼神助此道，墨池未盡書已好。
行路談君口不容，滿堂觀者空絕倒。
所恨時人多笑聲，唯知賤實翻貴名。
觀爾向來三五字，顛奇何謝張先生。

——唐·魯收《懷素上人草書歌》

周宣大獵兮岐之陽，刻石表功兮煒煒煌煌。
石如鼓形數止十，風雨缺訛苔蘚澀。
今人濡紙脱其文，既擊既掃白黑分。
忽開滿卷不可識，驚潛動蟄走云云。
喘逶迤，相糾錯，乃是宣王之臣史籀作。
一書遺此天地間，精意長存世冥寞。
秦家祖龍還刻石，碣石之罘李斯迹。
世人好古猶共傳，持來比此殊懸隔。

——唐·韋應物《石鼓歌》

楚僧懷素工草書，古法盡能新有餘。
神清骨竦意真率，醉來爲我揮健筆。

始從破體變風姿，一一花開春景遲。
忽爲壯麗就枯澀，龍蛇騰盤獸屹立。
馳毫驟墨劇奔駟，滿坐失聲看不及。
心手相師勢轉奇，詭形怪狀翻合宜。
有人細問此中妙，懷素自言初不知。

——唐·戴叔倫《懷素上人草書歌》

蒼頡鳥迹既茫昧，字體變化如浮雲。
陳倉石鼓又已訛，大小二篆生八分。
秦有李斯漢蔡邕，中間作者寂不聞。
嶧山之碑野火焚，棗木傳刻肥失真。
苦縣光和尚骨立，書貴瘦硬方通神。
惜哉李蔡不復得，吾甥李潮下筆親。
尚書韓擇木，騎曹蔡有鄰，
開元已來數八分，潮也奄有二子成三人。
況潮小篆逼秦相，快劍長戟森相向。
八分一字直百金，蛟龍盤拏肉屈强。
吴郡張顛夸草書，草書非古空雄壯。
豈如吾甥不流宕，丞相中郎丈人行。
巴東逢李潮，逾月求我歌。
我今衰老才力薄，潮乎潮乎奈汝何。

——唐·杜甫《李潮八分小篆歌》

玉箸篆文古，銀鈎楷法精。
得知千載下，時有打碑聲。

——宋·劉克莊《宿山中》

吾雖不善書，曉書莫如我。
苟能通其意，常謂不學可。
貌妍容有矉，璧美何妨橢。
端莊雜流麗，剛健含婀娜。
好之每自譏，不獨子亦頗。
書成輒棄去，謬被旁人裹。

皆云本闊落，結束入細麼。
子詩亦見推，語重未敢荷。
爾來又學射，力薄愁官笴。
多好竟無成，不精安用夥。
何當盡屏去，萬事付懶惰。
吾聞古書法，守駿莫如跛。
世俗筆苦驕，衆中强嵬騀。
鍾張忽已遠，此語與時左。

——宋·蘇軾《次韻子由論書》

退筆如山未足珍，讀書萬卷始通神。
君家自有元和脚，莫厭家鷄更問人。

——宋·蘇軾《柳氏二外甥求筆迹二首·其一》

魯公筆法屋漏雨，未减右軍錐畫沙。
可惜團團新月面，故教零亂黑雲遮。

——宋·黄庭堅《書扇》

世人但學蘭亭面，欲換凡骨無金丹。
誰知洛陽楊風子，下筆便到烏絲欄。

——宋·黄庭堅《跋楊凝式帖後》

顛張醉素兩秃翁，追逐世好稱書工。
何曾夢見王與鍾，妄自粉飾欺盲聾。
有如市倡抹青紅，妖歌嫚舞眩兒童。
謝家夫人澹豐容，蕭然自有林下風。
天門蕩蕩驚跳龍，出林飛鳥一掃空。
爲君草書續其終，待我他日不匆匆。

——宋·蘇軾《題王逸少帖》

人生識字憂患始，姓名粗記可以休。
何用草書夸神速，開卷惝怳令人愁。
我嘗好之每自笑，君有此病何能瘳。

自言其中有至樂，適意無异逍遥游。
近者作堂名醉墨，如飲美酒銷百憂。
乃知柳子語不妄，病嗜土炭如珍羞。
君於此藝亦云至，堆墻敗筆如山丘。
興來一揮百紙盡，駿馬倏忽踏九州。
我書意造本無法，點畫信手煩推求。
胡爲議論獨見假，只字片紙皆藏收。
不減鍾張君自足，下方羅趙我亦優。
不須臨池更苦學，完取絹素充衾裯。

——宋·蘇軾《石蒼舒醉墨堂》

少時草聖學鍾王，意氣欲齊韋與張。
家藏古本數十百，千奇萬怪常搜索。
今得君家一卷書，始覺辛勤總無益。
移燈近前拭眼看，精神高秀非人力。
北風古樹折巓崖，蒼烟寒藤掛絶壁。
逸氣峥嶸馳萬馬，只字千金不當價。
想初槃礴落筆時，毫端已與心機化。
主人知是希世奇，但見姓氏無標題。
自非高閑懷素不能此，何必更辨當年誰。

——宋·黄庭堅《觀王熙叔唐本草書歌》

永和九年暮春月，内史山陰幽興發。
群賢吟咏無足稱，叙引抽毫縱奇札。
愛之重寫終不如，神助留爲萬世法。
廿八行，三百字，之字最多無一似。
昭陵竟發不知歸，模寫典刑猶可秘。
彦遠記模不記褚，要録班班記名氏。
後生有得苦求奇，尋購褚模驚一世。
寄言好事但賞佳，俗説紛紛那有是。

——宋·米芾《跋褚遂良模〈蘭亭序〉》

朱樓矯首隘八荒，緑酒一舉累百觴。
洗我堆阜峥嶸之胸次，寫爲淋漓放
縱之詞章。
墨翻初若鬼神怒，字瘦忽作蛟螭僵。
寶刀出匣揮雪刃，大舸破浪馳風檣。
紙窮擲筆霹靂響，婦女驚走兒童藏。
往時草檄喻西域，颯颯聲動中書堂。
一收朝迹忽十載，西驚三巴窮夜郎。
山川荒絶風俗异，賴有美酒猶能狂。
醉中自脱頭上幘，緑髮未許侵微霜。
人生得喪良細事，孰謂老大多悲傷。

——宋·陸游《醉後草書歌詩戲作》

傾家釀酒三千石，閑愁萬斛酒不敵。
今朝醉眼爛岩電，提筆四顧天地窄。
忽然揮掃不自知，風雲入懷天借力。
神龍戰野昏霧腥，奇鬼摧山太陰黑。
此時驅盡胸中愁，捶床大叫狂墜幘。
吴箋蜀素不快人，付與高堂三丈壁。

——宋·陸游《草書歌》

九月十九柿葉紅，閉門學書人笑翁。
世間誰許一錢直，窗底自用十年功。
老蔓纏松飽霜雪，瘦蛟出海拏虚空。
即今譏評何足道，後五百年言自公。

——宋·陸游《學書》

右軍瀟灑更清真，落筆奔騰思入神。
裹鮓若能長住世，子鸞未必可驚人。
蒼藤古木千年意，野草閑花幾日春。
書法不傳今已久，楮君毛穎向誰陳。

——元·趙孟頫《論書》

書中渴筆如渴驪，奮迅奔馳獷難制。

摩挲古藕千百餘，羲獻帖中三四字。
長沙蓄意振孤蓬，盡食腹腴留鯁刺。
神龍戲海見脊尾，不獨鬱盤工遠勢。
巉巖絕壁掛藤枝，驚猊落雲風雨至。
吾將此語叩墨王，五指拏空鵬轉翅。
宣城棗穎不足存，鐵腕由來自酣恣。

——明·李日華《渴筆頌》

目眩心搖壽外翁，興來狂草活如龍；
胸中原有雲烟氣，揮灑全無八法工。

——清·汪士慎《絕句》

向慕山陰鏡裏行，清游得勝愜平生。
風華自昔稱佳地，觴咏於今記盛名。
竹重春烟偏澹蕩，花開禊日尚敷榮。
臨時留得龍跳法，聚訟千秋不易評。

——清·弘曆《蘭亭即事》

墨池筆冢任紛紛，參透書禪未易論。
細取孫公書譜讀，方知渠是過來人。

——清·王文治《論書絕句其一》

曾聞碧海掣鯨魚，神力蒼茫運太虛。
間氣古今三鼎足，杜詩韓筆與顏書。

——清·王文治《論書絕句其二》

坡翁奇氣本超倫，揮灑縱橫欲絕塵。
直到晚年師北海，更於平淡見天真。

——清·王文治《論書絕句其三》

天姿凌轢未須誇，集古終能自立家。
一掃二王非妄語，只應釀蜜不留花。

——清·王文治《論書絕句其四》

筆端神動有天隨，迅速淹遲兩未知。

莫道匆匆真不暇，苦將矜意作張芝。

——清·姚鼐《論書絕句》

題畫詩

山水園林類

半幅古屛顏，看來心意閑。
何須尋鳥道，即此出人間。
巘暮疑懸狖，松深認掩關。
知君遠相惠，免我憶歸山。

——唐·齊己《謝興公上人寄山水簇子》

三世精能舉世無，筆端狼籍見功夫。
添來勢逸陰崖黑，潑處痕輕灌木枯。
垂地寒雲吞大漠，過江春雨入全吳。
蘭堂坐久心彌惑，不道山川是畫圖。

——唐·方干《水墨山石》

大雪灑天表，孤峰入雲端。
何人向漁艇，擁褐對巑岏？

——宋·文同《范寬雪中孤峰》

丹青王右轄，詩句妙九州。
物外常獨往，人間無所求。
袖手南山雨，輞川桑柘秋。
胸中有佳處，涇渭看同流。

——宋·黃庭堅《摩詰畫》

輞川誠自好，人各愛吾園。
欲縱家山樂，終縻吏事繁。
鴻飛思避弋，羝觸困羸藩。
幾日歸陶徑，方知踐此言。

——宋·韓琦《次韻和文潞公題王

右丞輞川圖》

泉石年來偶結廬，冷挨松雪瞰西湖。
高僧好事仍多藝，已共孤山入畫圖。

——宋・林逋《僧有示西湖墨本者，就孤山左側林麓秘邃間，状出衡茅之所，且題云『林山人隱居』。謹書二韻以呈之》

六幅生綃四五峰，暮雲樓閣有無中。
去年今日長千里，遥望鍾山與此同。

——宋・王安石《學士院燕侍郎畫圖》

目盡孤鴻落照邊，遥知風雨不同川。
此間有句無人識，送與襄陽孟浩然。

木落騷人已怨秋，不堪平遠發詩愁。
要看萬壑争流處，他日終煩顧虎頭。

——宋・蘇軾《郭熙秋山平遠（二首）》

亂山無盡水無邊，田舍漁家共一川。
行遍江南識天巧，臨窗開卷兩茫然。

——宋・蘇轍《次韻子瞻題郭熙平遠・其一》

水色烟光上下寒，忘機鷗鳥恣飛還。
年來頻作江湖夢，對此身疑在故山。

——宋・黄庭堅《題大年小景》

古北安西志未酬，人間隨處送悠悠。
騎驢白帝城邊雨，掛席黄陵廟外秋。
大網截江魚可膾，高樓臨路酒如油。

老來無復當年快，聊對丹青作臥游。

——宋・陸游《觀畫山水》

錢塘佳月照青霄，壯觀仍看半夜潮。
每恨形容無健筆，誰知收拾在生綃。
蕩摇直恐三山没，咫尺真成萬里遥。
金闕岧嶤天尺五，海王自合日來朝。

——宋・樓鑰《海潮圖》

山蒼蒼，水茫茫，
大孤小孤江中央。
崖崩路絶猿鳥去，
惟有喬木攙天長。
客舟何處來？
棹歌中流聲抑揚。
沙平風軟望不到，
孤山久與船低昂。
峨峨兩烟鬟，
曉鏡開新妝。
舟中賈客莫謾狂，
小姑前年嫁彭郎。

——宋・蘇軾《李思訓畫〈長江絶島圖〉》

何處訪吳畫？普門與開元。
開元有東塔，摩詰留手痕。
吾觀畫品中，莫如二子尊。
道子實雄放，浩如海波翻。
當其下手風雨快，筆所未到氣已吞。
亭亭雙林間，彩暈扶桑暾。
中有至人談寂滅，悟者悲涕迷者手自捫。
蠻君鬼伯千萬萬，相排競進頭如黿。
摩詰本詩老，佩芷襲芳蓀。

今觀此壁畫，亦若其詩清且敦。
祇園弟子盡鶴骨，心如死灰不復温。
門前兩叢竹，雪節貫霜根。
交柯亂葉動無數，一一皆可尋其源。
吴生雖妙絶，猶似畫工論。
摩詰得之於象外，有如仙翮謝籠樊。
吾觀二子皆神俊，又於維也斂衽無間言。

——宋·蘇軾《王維、吴道子畫》

竹帛功名一筆無，殘年那復計榮枯。
青山未得携家去，惆悵題詩是畫圖。

——金·元好問《蒼崖遠渚圖》

吹簫江浦秋，舟蕩碧雲幽。
擬溯巖松下，詩盟訂白鷗。

——元·鄭元祐《朱澤民山水》

積雨暗林屋，晚峰晴露巔。
扁舟入蘋渚，浮動一溪烟。

——元·高克恭《種筆亭題畫》

越山隔濤江，風起不可渡。
時於圖中看，居然在烟霧。

——元·趙孟頫《題彦敬越山圖》

人在白雲處，舟在清溪曲。
不聞欸乃聲，但見山水緑。

——元·黄溍《題馬虛中畫》

山居惟愛静，白日掩柴門。
寡合人多忌，無求道自尊。
鷃鵬俱有意，蘭艾不同根。
安得蒙莊叟，相逢與細論。

——元·錢選《山居圖卷》

蕭條江渚上，舟楫晚相過。
捲幔吟青峰，臨流寫白鵝。
壯心千里馬，歸夢五湖波。
園田荒筠翳，風前發浩歌。
——元・倪瓚《題畫贈張玄度》

依村構草亭，端方意匠宏。
林深禽鳥樂，塵遠竹松清。
泉石俱延賞，琴書悅性情。
何當謝凡近，任適慰平生。
——元・吳鎮《題草亭詩意圖》

六法從來推顧陸，一生今始見營丘。
腕中筋骨元來鐵，世上江山盡入眸。
林影有風摧落葉，澗聲無雨咽清流。
蹇驢騷客吟成未，百壑寒雲爲爾留。
——元・黃公望《李成寒林圖》

遥山近山青欲滴，大木小木葉已疏。
斜日疏篁無鳥雀，一灣溪水數函書。
——元・黃公望《倪雲林爲静遠畫》

石磴連雲暮靄霏，翠微深杳玉泉飛。
溪回寂静塵踪少，惟許山人共採薇。
——元・黃公望《李咸熙翠巖流壑圖》

誰家亭子傍西灣，高樹扶疏出石間。
落葉盡隨溪雨去，只留秋色滿空山。
——元・黃公望《秋山林木圖》

秋風蘭蕙化爲茅，南國淒涼氣已消。
只有所南心不改，淚泉和墨寫離騷。
——元・倪瓚《題鄭所南〈蘭〉》

千載英雄事已休，獨餘明月照江流。
畫圖不盡當年恨，卻寫蘇家赤壁游。
——元·戴表元《題赤壁圖》

宿雲初散青山濕，落紅繽紛溪水急。
桃花源裏得春多，洞口春烟摇緑蘿。
緑蘿摇烟生絶壁，飛泉淙下三千尺。
瑶草離離滿澗阿，長松落落凌空碧。
鷄鳴犬吠自成村，居人至老不相識。
瀛州仙客知仙路，點染丹青寄輕素。
何處有山如此圖？移家欲向山中住。
——元·趙孟頫《桃源春曉圖》

黄葉江南何處村，漁翁三兩坐槐根。
隔溪相就一烟棹，老嫗具炊雙瓦盆。
霜前漁官未竭澤，蟹中抱黄鯉肪白。
已烹甘瓠當晨餐，更擷寒蔬共萑席。
垂竿何人無意來，晚風落葉何毰毸。
了無得失動微念，況有興亡生遠哀。
憶昔採芝有園綺，猶被留侯迫之起。
莫將名姓落人間，隨此横圖捲秋水。
——元·虞集《題漁村圖》

此際山陰道，啼惟有暮鴉。
萬山無寸碧，何處認梅花？
——明·徐渭《雪景》

少年多狡獪，老筆漸離披。
氣韻從何取，心無贊毁時。
雲海蕩吾胸，筆隨意所到，
猶如剡上船，何必見安道。
——明·董其昌《題畫十七首選二》

雲開見山高，木落知風勁。
亭下不逢人，斜陽淡秋影。

——明・卞同《倪雲林畫》

江山入吾興，隨筆散清華。
峰影分斜日，波容映落霞。
無橋通市迹，有樹隱人家。
此地如堪買，分畦擬種瓜。

——明・沈周《題小景》

得意支郎畫，分明是米家。
亂雲浮雜樹，遠渡卧枯槎。
白屋孤舟迥，丹崖一徑斜。
何時共漁叟，洞口訪桃花。

——明・方孝孺《題畫》

三十年來一釣竿，幾曾叉手揖高官；
茅柴酒白蘆花被，明月西湖何處灘。

——明・唐寅《題西湖釣艇圖》

風起烟霏林翠開，暮帆秋色半山回。
疏燈獨照歸鴻急，長似瀟湘夜雨來。

——明・湯顯祖《暮江圖》

飛觴泛水集群賢，文采風流自往年。
静裏披圖懷勝事，一川新緑鎖輕烟。

——明・白圻《蘭亭修禊圖》

丹楓絶壁照空江，萬里青天在野航。
卧展南華秋水讀，不知嵐翠濕衣裳。

——明・文徵明《題畫》

萬木緣山過雨青，山回路斷水泠泠。
分明記得環滁勝，只欠臨溪著小亭。

——明・文徵明《題畫》

吴山盡處越山涯，水木清華處處佳。
山鳥忽來啼不歇，聲聲似勸我移家。
——明·李日華《題畫米山》

白雲如練繞南山，遥聽樵歌紫翠間。
落日雲頭秋色晚，望中應見鶴飛還。
——明·解縉《歸雲圖》

渺渺平沙四望通，天涯雙樹立秋風。
畫工不解寒鴉意，寫入隋堤緑柳中。
——明·徐渭《扇圖》

深院無人自掃花，隔鄰啼鳥亦山家。
閑磨墨汁供生事，竹裏敲枰日未斜。
——明·葛徵奇《題山水》

湖水茫茫浪拍天，春風湖上有人烟。
小樓半在花林内，簾捲青山看釣船。

——明·薛瑄《山水小景》

溪上波光淡欲秋，空亭小艇日悠悠。
朝來忽著行雲色，添得潺湲萬壑流。
——明·王世懋《題溪山風雨圖》

海上群峰映紫霞，五雲樓觀是仙家。
誰吹玉笛春風起，千樹碧桃都作花。
——明·劉崧《題飛霞圖》

細雨茸茸濕楝花，南風樹樹熟枇杷。
徐行不記山深淺，一路鶯啼送到家。
——明·楊基《天平山中》

遠道西風落葉寒，蕭蕭孤蹇上長安。
關山不似人心險，游子休歌行路難。
——明·陳秦《題畫》

萬竹叢深日未晡，寒江烟雨翠模糊。
東風無限瀟湘意，獨倚蓬窗聽鷓鴣。

——明・熊直《瀟湘雨意圖》

結屋遠朝市，移書載酒尊。
枕頭當落澗，聽久不成喧。

——清・龔賢《澗屋聽泉圖》

落暮蕭齋下，高人相對閑。
夕陽紅不盡，楓葉滿空山。

——清・趙翼《題畫》

不抱雲山骨，哪成金石心。
自然奇節士，落墨見高襟。

——清・高鳳翰《五絶一首》

亂瀑界蒼崖，松風吹雨急。
石廊虛無人，高寒不能立。

——清・吴偉業《題畫》

天地渾熔一氣，再分風雨四時。
明暗高低遠近，不似之似似之。
丘壑自然之理，筆墨遇景逢緣。
以意藏鋒轉折，收來解趣無邊。

——清・原濟《題畫山水（十首選二）》

春浦風生柳岸斜，好山何處著人家。
白雲遮斷橋西路，不許漁郎問落花。

——清・超源《題畫》

一林霜葉可憐紅，半入虛中半畫中。
冷艷足爲秋點染，從來多事是秋風。

——清・蕭雲從《秋山霜齋圖》

曲水斜陽過柳塘，遠山秋葉半鵝黃。
何人坦腹江亭裏，閑笑溪雲帶雨忙。

——清·吴歷《題畫山水》

年來學得巨公禪，草樹湖山信手拈。
最是一峰孤絶處，晴霞齊映蔚藍天。

——清·髡殘《題畫》

雲滿山頭樹滿溪，春風浩蕩緑初齊。
若教此地容高隱，我亦移家傍水西。

——清·高翔《題春山雲起圖》

傲骨如君世已奇，嶙峋更見此支離。
醉餘奮掃如椽筆，寫出胸中塊壘時。

——清·敦敏《題芹圃畫石》

人物類

人人送酒不曾沽，終日松間掛一壺。
草聖欲成狂便發，真堪畫入醉僧圖。

——唐·釋懷素《題張僧繇醉僧圖》

似僧有髮，似俗無塵。
作夢中夢，見身外身。

——宋·黄庭堅《寫真自贊》

梅蕊觸人意，冒寒開雪花。
遥憐水風晚，片片點汀沙。

——宋·黄庭堅《題華光爲曾公卷作水邊梅》

風雅久寂寞，吾思見其人。
杜君詩之豪，來者誰比倫。
生爲一身窮，死也萬世珍。
言苟可垂後，士無羞賤貧。

——宋·歐陽修《堂中畫像探題得杜子美》

黃菊有何好，且寄平生懷。
遇酒興不淺，無酒意亦佳。
此理誰復明，自昔寡所諧。
空餘採菊圖，寂寞懸高齋。

——宋・韓駒《題采菊圖（有序）》

尋常行處酒債，每日江頭醉歸。
薄暮斜風細雨，長安一片花飛。

——元・李俊民《老杜醉歸圖》

裊烟石壁對孤桐，與和長松瑟瑟風。
不爲野夫清兩耳，爲君留目送飛鴻。

——元・張雨《聽琴圖》

生世各有時，出處非偶然。
淵明賦歸來，佳處未易言。
後人多慕之，效顰惑媸妍。
終然不能去，俯仰塵埃間。
斯人真有道，名與日月懸。
青松卓然操，黃花霜中鮮。
棄官亦易耳，忍窮北窗眠。
撫卷長三嘆，世久無此賢。

——元・趙孟頫《歸去來圖》

秋來紈扇合收藏，何事佳人重感傷？
請把世情詳細看，大都誰不逐炎涼。

——明・唐寅《秋風紈扇圖》

一蓑一笠一孤舟，一丈長竿一釣鈎。
一醉一眠一歌曲，一輪明月一江秋。

——清・鄭燮《題漁人垂釣圖》

雪後輕橈入翠微，花溪寒氣上春衣。
過橋南岸尋春去，踏遍梅花帶月歸。

——清・惲壽平《題〈唐解元小景〉》

露氣蒼涼水氣清，亂蘆顛倒一舟橫。
枯風裂竹秋江上，更有何人聽此聲。
——清·汪中《題秋江聽笛圖》

樹石花果類

畫松一似真松樹，且待尋思記得無？
曾在天臺山上見，石橋南畔第三株。
——唐·釋景雲《畫松》

論畫以形似，見與兒童鄰。
賦詩必此詩，定非知詩人。
詩畫本一律，天工與清新。
邊鸞雀寫生，趙昌花傳神。
何如此二幅，疏淡含精勻。
誰言一點紅，解寄無邊春。

瘦竹如幽人，幽花如處女。
低昂枝上雀，搖蕩花間雨。
雙翎決將起，衆葉紛自舉。
可憐採花蜂，清蜜寄兩股。
若人富天巧，春色入毫楮。
懸知君能詩，寄聲求妙語。
——宋·蘇軾《書鄢陵王主簿所畫折枝二首》

春蘭如美人，不採羞自獻。
時聞風露香，蓬艾深不見。
丹青寫真色，欲補離騷傳。
對之如靈均，冠佩不敢燕。
——宋·蘇軾《題楊次公春蘭》

石上老瘦竹，忽在紈扇中。
執之意已涼，不待搖青風。

小節未見粉，淚痕應含紅。
日將炎暑退，畏蠹生秋蟲。
——宋·梅堯臣《畫竹扇》

上林春又老，在野抱幽貞。
泣露丹心重，淩波玉步輕。
孤山初雪霽，三徑舞風清。
志操渾相似，何妨共結盟。
——元·袁士元《題蘭、水仙、墨竹》

江左風流王謝家，盡携書畫到天涯。
卻因梅雨丹青暗，洗出徐熙落墨花。
——宋·蘇軾《王進叔所藏徐熙杏花》

倚竹佳人翠袖長，天寒猶著薄羅裳。
揚州近日紅千葉，自是風流時世妝。
——宋·蘇軾《題趙昌芍藥》

折沖儒墨陣堂堂，書入顏楊鴻雁行。
胸中元自有丘壑，故作老木蟠風霜。
——宋·黃庭堅《題子瞻〈枯木〉》

花開不并百花叢，獨立疏籬趣未窮。
寧可枝頭抱香死，何曾吹落北風中。
——宋·鄭思肖《畫菊》

故人贈我江南句，飛盡梅花我未歸。
欲寄相思無別語，一枝寒玉澹春暉。
——元·趙孟頫《題所畫梅竹贈友》

明月孤山處士家，湖光寒浸玉橫斜。
似將篆籀縱橫筆，鐵綫圈成個個花。
——元·陶宗儀《題畫墨梅》

冰雪林中著此身，不同桃李混芳塵。
忽然一夜清香發，散作乾坤萬里春。
——元·王冕《白梅》

我家洗硯池邊樹，朵朵花開淡墨痕。
不要人誇好顏色，只留清氣滿乾坤。
——元·王冕《墨梅》

與可畫竹不見竹，東坡作詩忘此詩。
高麗老繭冰雪古，戲成歲寒巖壑姿。
紛紛蒼霰落碧篠，謖謖好風扶舊枝。
狰獰頭角易變化，細聽夜深雷雨時。
——元·吴鎮《畫竹》

寒梢雖數葉，高節傲霜風。
寧肯隨團扇，秋來怨篋中。
——明·高啓《題扇上竹》

嫩篠捎空碧，高枝梗太清。
總看奔逸勢，猶帶早雷驚。
——明·徐渭《題〈墨竹〉》

墨痕別種洛陽花，仿佛春風似魏家。
應是主人忘富貴，故將閑淡洗鉛華。
——明·文徵明《水墨牡丹》

半生落魄已成翁，獨坐書齋嘯晚風。
筆底明珠無處賣，閑抛閑擲野藤中。
——明·徐渭《葡萄》

烟山雲樹靄蒼茫，漁唱菱歌互短長。
燈火一村鷄犬静，越來溪北近横塘。
——明·唐寅《雲山烟樹圖》

策策霜林映水丹，重重雲岫鎖輕寒。

西風斜日空江暮，無限秋光屬釣竿。
——明·吳寬《梅老〈秋江獨釣圖〉》

清溪倒影入空寒，月色梅花共一般。
夜半落英看不見，暗風吹墮玉欄杆。
——明·李東陽《梅月圖》

蘭草已成行，山中意味長。
堅貞還自抱，何事鬥群芳。
——清·鄭燮《題畫蘭》

白衣不至酒樽閑，五柳先生正閉關。
獨向籬邊把秋色，誰知我意在南山。
——清·華喦《自題寫生六首之一》

蘭草堪同隱者心，自榮自萎白雲深。
春風歲歲生空谷，留得清香入素琴。
——清·汪士慎《題空谷幽蘭圖》

冊頁》

咬定青山不放松，立根原在破巖中。
千磨萬擊還堅勁，任爾東西南北風。
——清·鄭燮《竹石》

衙齋卧聽蕭蕭竹，疑是民間疾苦聲。
些小吾曹州縣吏，一枝一葉總關情。
——清·鄭燮《畫竹》

四十年來畫竹枝，日間揮寫夜間思。
冗繁削盡留清瘦，畫到生時是熟時。
——清·鄭燮《題畫竹》

新竹高於舊竹枝，全憑老幹爲扶持。
明年再有新生者，十丈龍孫繞鳳池。
——清·鄭燮《新竹》

日日臨池把墨研，何曾粉黛去爭妍？
要知畫法通書法，蘭竹如同草隸然。

——清·鄭燮《題蘭竹冊頁》

百尺梧桐半畝陰，枝枝葉葉有秋心。
何年脫骨乘鸞鳳？月下飛來聽素琴。

——清·石濤《桐陰圖》

興來寫菊似塗鴉，誤作枯藤纏數花。
筆落一時收不住，石棱留得一拳斜。

——清·石濤《畫菊》

峰頭黛色晴猶濕，筆底春雲暗不開。
墨花淋漓翠微斷，隱几忽聞山雨來。

——清·吴歷《山雨圖》

一年一年復一年，根盤節錯鎖疏烟。
不知天意留何用，虎爪龍鱗老更堅。

——清·李方膺《題〈墨松圖〉》

揮毫落紙墨痕新，幾點梅花最可人。
願借天風吹得遠，家家門巷盡成春。

——清·李方膺《題畫梅》

老梅愈老愈精神，水店山樓若有人。
清到十分寒滿把，始知明月是前身。

——清·金農《畫梅》

硯水生冰墨半乾，畫梅須畫晚來寒。
樹無醜態香沾袖，不愛花人莫與看。

——清·金農《畫梅》

幽芳獨抱楚江烟，寫入清平調裏箋。
若是春風吹不到，便如國士有誰憐。

爛寫名花富貴身，牡丹原自有精神。

莫將豔色欺蘭草，香是人間萬古春。

——清·李鱓《牡丹石蘭》

鳥獸蟲魚類

雁下秋已晚，江天風雨微。
寧爲聚沙立，不作傍雲飛。

——宋·呂居仁《題蘆雁扇》

惠崇烟雨蘆雁，坐我瀟湘洞庭。
欲置扁舟歸去，故人云是丹青。

——宋·蘇軾《惠崇蘆雁》

造物無心筆有神，翾翾飛動百年新。
蟲魚瑣細君休笑，學會屠龍老卻人。

——金·元好問《文湖州草蟲爲劉使君賦》

點綴烟林意盡妍，沙洲鳧雁見荒寒。
君看小景都盈尺，展放江湖萬里寬。

——元·王惲《趙大年雪霽聚禽圖》

江上秋雲薄，寒鴉散亂飛。
未明常競噪，向晚復争歸。
似怯霜威重，仍嫌樹影稀。
老僧修止觀，寫物固精微。

——元·楊載《惠崇古木寒鴉》

踴躍谷生風，峥嶸百獸中。
豈知王者瑞，足不履生蟲。

——明·方孝孺《虎圖》

萬匹群中久已空，幾番嘶向落花風。
孫陽去後無知己，淪落鹽車坂道中。

——明·王紱《題畫馬》

頭上紅冠不用裁，滿身雪白走將來。
平生不敢輕言語，一叫千門萬户開。

——明·唐寅《畫鷄》

曾聞魚藻頌皇都，見説杭城殿閣無。
卻想王孫揮筆處，也應回首念西湖。

——明·何塘《趙子昂鰷圖》

風微不動蘋，紅雨灑花津。
跳波魚出藻，攪碎一池春。

——清·惲壽平《橅劉寀落花戲魚圖》

黄鸝紫燕去來啼，雌蝶雄蜂來去飛。
只有鷺鷀閑似我，野塘新水立多時。

——清·居巢《雙鷺圖》

卷四　名詞

山水田園

蝴蝶，蝴蝶，飛上金枝玉葉。君前對舞春風，百葉桃花樹紅。紅樹，紅樹，燕語鶯啼日暮。

——唐・王建《調笑令・桃花》

汴水流，泗水流，流到瓜洲古渡頭，吴山點點愁。思悠悠，恨悠悠，恨到歸時方始休。月明人倚樓。

——唐・白居易《長相思》

花非花，霧非霧。夜半來，天明去。來如春夢不多時，去似朝雲無覓處。

——唐・白居易《花非花》

江南好，風景舊曾諳：日出江花紅勝火，春來江水緑如藍，能不憶江南？

——唐・白居易《憶江南》

斑竹枝，斑竹枝，淚痕點點寄相思。楚客欲聽瑤瑟怨，瀟湘深夜月明時。

——唐・劉禹錫《瀟湘神》

小山重疊金明滅，鬢雲欲度香腮雪。懶起畫蛾眉，弄妝梳洗遲。

照花前後鏡，花面交相映。新帖繡羅襦，雙雙金鷓鴣。

——唐・温庭筠《菩薩蠻》

閑中好，盡日松爲侶。此趣人不知，輕風度僧語。

——唐・鄭符《閑中好》

西塞山前白鷺飛，桃花流水鱖魚肥。青箬笠，緑蓑衣，斜風細雨不須歸。

——唐・張志和《漁歌子》

蘋葉軟，杏花明，畫船輕。雙浴鴛鴦出緑汀，棹歌聲。春水無風無浪，春天半雨半晴。紅粉相隨南浦晚，幾含情。

——五代・和凝《春光好》

嫩草如烟，石榴花發每南天。日暮江亭春影緑，鴛鴦浴，水遠山長看不足。

——五代・歐陽炯《南鄉子》

東城漸覺風光好，縠皺波紋迎客棹。緑楊烟外曉寒輕，紅杏枝頭春意鬧。浮生長恨歡娱少，肯愛千金輕一笑？爲君持酒勸斜陽，且向花間留晚照。

——宋・宋祁《玉樓春》

東南形勝，江吴都會，錢塘自古繁華。烟柳畫橋，風簾翠幕，參差十萬人家。雲樹繞堤沙，怒濤捲霜雪，天塹無涯。市列珠璣，户盈羅綺，競豪奢。重湖疊巘清嘉，有三秋桂子，十里荷花。羌管弄晴，菱歌泛夜，嬉嬉釣叟蓮娃。千騎擁高牙，乘醉聽簫鼓，吟賞烟霞。异日圖將好景，歸去鳳池誇。

——宋・柳永《望海潮》

三月七日沙湖道中遇雨。雨具先去，同行皆狼狽，余獨不覺。已而遂晴。故作此。

莫聽穿林打葉聲，何妨吟嘯且徐行。竹杖芒鞋輕勝馬。誰怕？一蓑烟雨任平生。料峭春風吹酒醒，微冷。山頭斜照却相迎。回首向來蕭瑟處，歸去，也無風雨也無晴。

——宋・蘇軾《定風波》

十里青山遠，潮平路帶沙。數聲啼鳥怨年華，又是淒涼時候、在天涯。白露收殘月，清風散曉霞。緑楊堤畔問荷花：記得年時沽酒、那人家？

——宋・釋仲殊《南柯子》

凌波不過橫塘路，但目送，芳塵去。錦瑟華年誰與度？月臺花榭，瑣窗朱户，只有春知處。碧雲冉冉蘅皋暮，彩筆新題斷腸句。試問閑愁都幾許？一川烟草，滿城風絮，梅子黄時雨。

——宋・賀鑄《青玉案》

平生太湖上，短棹幾經過。如今重到何事，愁與水雲多。擬把匣中長劍，換取扁舟一葉，歸去老漁蓑。銀艾非吾事，丘壑已蹉跎。鱠新鱸，斟美酒，起悲歌。太平生長，豈謂今日識干戈！欲瀉三江雪浪，净洗邊塵千里，不爲挽天河。回首望霄漢，雙淚墮清波。

——宋·無名氏《水調歌頭·建炎庚戌題吴江》

風老鶯雛，雨肥梅子，午陰嘉樹清圓。地卑山近，衣潤費爐烟。人静烏鳶自樂，小橋外、新緑濺濺。憑闌久，黄蘆苦竹，擬泛九江船。年年如社燕，飄流瀚海，來寄修椽。且莫思身外，長近尊前。憔悴

江南倦客，不堪聽、急管繁絃。歌筵畔，先安簟枕，容我醉時眠。

——宋·周邦彦《滿庭芳·夏日溧水無想山作》

銀河宛轉三千曲，浴鳧飛鷺澄波緑。何處是歸舟？夕陽江上樓。天憎梅浪發，故下封枝雪。深院捲簾看，應憐江上寒。

——宋·周邦彦《菩薩蠻·梅雪》

疏籬曲徑田家小，雲樹開清曉。天寒山色有無中，野外一聲鐘起送孤篷。添衣策馬尋亭堠，愁抱惟宜酒。菰蒲睡鴨占陂塘，縱被行人驚散又成雙。

——宋·周邦彦《虞美人》

燎沉香，消溽暑。鳥雀呼晴，侵曉窺檐語。葉上初陽乾宿雨，水面清圓，一一風荷舉。　故鄉遥，何日去？家住吴門，久作長安旅。五月漁郎相憶否？小楫輕舟，夢入芙蓉浦。

——宋·周邦彦《蘇幕遮》

春歸何處？寂寞無行路。若有人知春去處，唤取歸來同住。　春無踪迹誰知？除非問取黄鸝。百囀無人能解，因風飛過薔薇。

——宋·黄庭堅《清平樂》

霧失樓臺，月迷津渡，桃源望斷無尋處。可堪孤館閉春寒，杜鵑聲裏斜陽暮。　驛寄梅花，魚傳尺素，砌成此恨無重數。郴江幸自繞郴山，爲誰流下瀟湘去？

——宋·秦觀《踏莎行·郴州旅舍》

秋色漸將晚，霜信報黄花。小窗低户深映，微路繞欹斜。爲問山公何事，坐看流年輕度，拼却鬢雙華？　徙倚望滄海，天净水明霞。　念平昔，空飄蕩，遍天涯。歸來三徑重掃，松竹本吾家。却恨悲風時起，冉冉雲間新雁，邊馬怨胡笳。誰似東山老，談笑净胡沙！

——宋·葉夢得《水調歌頭》

飛雪過江來，船在赤闌橋側。爲報布帆無恙，著兩行親札。從今日日在南樓，鬢自此時白。一咏一觴誰共？負平生書册。

——宋・吕渭老《好事近》

薄霧濃雲愁永晝，瑞腦消金獸。佳節又重陽，玉枕紗廚，半夜涼初透。東籬把酒黄昏後，有暗香盈袖。莫道不消魂，簾捲西風，人比黄花瘦！

——宋・李清照《醉花陰》

常記溪亭日暮，沈醉不知歸路。興盡晚回舟，誤入藕花深處。争渡，争渡，驚起一灘鷗鷺。

——宋・李清照《如夢令》

驛路侵斜月，溪橋度曉霜。短籬殘菊一枝黄，正是亂山深處過重陽。旅枕元無夢，寒更每自長。只言江左好風光，不道中原歸思轉凄涼。

——宋・吕本中《南歌子・旅思》

洞庭青草，近中秋、更無一點風色。玉鑒瓊田三萬頃，著我扁舟一葉。素月分輝，明河共影，表裏俱澄澈。悠然心會，妙處難與君説。應念嶺表經年，孤光自照，肝膽皆冰雪。短髮蕭疏襟袖冷，穩泛滄溟空闊。盡挹西江，細斟北斗，萬象爲賓客。扣舷獨嘯，不知今夕何夕！

——宋・張孝祥《念奴嬌・過洞庭》

濯足夜灘急，晞髮北風涼。吴山楚澤行遍，只欠到瀟湘。買得扁舟歸去，此事天公付我，六月下滄浪。蟬蛻塵埃外，蝶夢水雲鄉。製荷衣，紉蘭佩，把瓊芳。湘妃起舞一笑，撫瑟奏清商。喚起九歌忠憤，拂拭三閭文字，還與日争光。莫遣兒輩覺，此樂未渠央。

——宋・張孝祥《水調歌頭・泛湘江》

今日我重九，莫負菊花開。試尋高處，携手躡屐上崔嵬。放目蒼崖萬仞，雲護曉霜成陣，知我與君來。古寺倚修竹，飛檻絕塵埃。笑談間，風滿座，酒盈杯。仙人跨海休問，隨處是蓬萊。落日平原西望，鼓角秋深悲壯，戲馬但荒臺。細把茱萸看，一醉且徘徊。

——宋・韓元吉《水調歌頭・九日》

茅檐人静，蓬窗燈暗，春晚連江風雨。林鶯巢燕總無聲，但月夜常啼杜宇。催成清淚，驚殘孤夢，又揀深枝飛去。故山猶自不堪聽，况半世飄然羈旅！

——宋・陸游《鵲橋仙・夜聞杜鵑》

搖首出紅塵，醒醉更無時節。活計緑蓑青笠，慣披霜衝雪。晚來風定釣絲閑，上下是新月。千里水天一色，看孤鴻明滅。

——宋・朱敦儒《好事近・漁父詞》

冰輪斜輾鏡天長，江練隱寒光。危闌醉倚人如畫。隔烟村、何處鳴根？烏鵲倦棲，魚龍驚起，星斗掛垂楊。蘆花千頃水微茫，秋色滿江鄉。樓臺恍似游仙夢，又疑是、洛浦瀟湘。風露浩然，山河影轉，今古照淒涼。

——宋・陳亮《一叢花・溪堂玩月作》

鬧花深處層樓，畫簾半捲東風軟。春歸翠陌，平莎茸嫩，垂楊金淺。遲日催花，淡雲閣雨，輕寒輕暖。恨芳菲世界，游人未賞，都付與，鶯和燕。寂寞憑高念遠，向南樓一聲歸雁。金釵鬥草，青絲勒馬，風流雲散。羅綬分香，翠綃封淚，幾多幽怨！正銷魂、又是疎烟淡月，子規聲斷。

——宋・陳亮《水龍吟・春恨》

辛亥之冬，予載雪詣石湖。止既月，授簡索句，且徵新聲。作此兩曲。石湖把玩不已，使工妓隸習之，音節諧婉，乃名之曰《暗香》、《疏影》。

舊時月色，算幾番照我，梅邊吹笛？喚起玉人，不管清寒與攀摘。何遜而今漸老，都忘却春風詞筆。但怪得、竹外疏花，香冷入瑤席。江國，正寂寂，嘆寄與路遥，夜雪初積。翠尊易泣，紅萼無言耿相憶。長記曾攜手處，千樹壓、西湖寒碧。又片片吹盡也，幾時見得？

——宋・姜夔《暗香》

蘆葉滿汀洲，寒沙帶淺流。二十年重過南樓。柳下繫船猶未穩，能幾日，又中秋。黃鶴斷磯頭，故人曾到否？舊江山渾是新愁。欲買桂花同載酒，終不似，少年游。

——宋·劉過《唐多令·重過武昌》

寒眼亂空闊，客意不勝秋。强呼鬥酒發興，特上最高樓。舒捲江山圖畫，應答龍魚悲嘯，不暇顧詩愁。風露巧欺客，分冷入衣裘。　忽醒然，成感慨，望神州。可憐報國無路，空白一分頭。都把平生意氣，只做如今憔悴，歲晚若爲謀！此意仗江月，分付與沙鷗。

——宋·楊炎正《水調歌頭》

明月別枝驚鵲，清風半夜鳴蟬。稻花香裏説豐年，聽取蛙聲一片。　七八個星天外，兩三點雨山前。舊時茅店社林邊，路轉溪橋忽見。

——宋·辛棄疾《西江月·夜行黃沙道中》

淳熙己亥自湖北漕移湖南，同官王正之置酒小山亭，爲賦。

更能消幾番風雨，匆匆春又歸去。惜春長怕花開早，何況落紅無數。春且住，見説道、天涯芳草無歸路。怨春不語，算只有殷勤、畫簷蛛網，盡日惹飛絮。　長門事，準擬佳期又誤。蛾眉曾有人妒。千金縱買相如賦，脉脉此情誰訴？君莫舞，君不見、玉環飛燕皆塵土。閑愁最苦。休去倚危欄，斜陽正在、烟柳斷腸處。

——宋·辛棄疾《摸魚兒》

樓外垂楊千萬縷，欲繫青春，少住春還去。猶自風前飄柳絮，隨春且看歸何處？ 緑滿山川聞杜宇，便做無情，莫也愁人意。把酒送春春不語，黄昏却下瀟瀟雨。

——宋·朱淑真《蝶戀花》

醉裏春歸，緑窗猶唱留春住。問春何處？花落鶯無語。 渺渺予懷，漠漠烟中樹。西樓暮，一簾疏雨，夢裏尋春去。

——金·元好問《點絳唇》

夜凉清露滴梧桐，庭樹又西風。熏籠舊香猶在，曉帳暖芙蓉。 雲淡薄，月朦朧，小簾櫳。江湖殘夢，半在南樓畫角聲中。

——金·王庭筠《訴衷情》

林樾人家急暮砧，夕陽人影入江深。倚欄疏快北風襟。 雨自北山明處黑，雲從白鳥去邊陰。幾多秋思亂鄉心！

——金·王磵《浣溪沙》

詩句一春渾漫賦，紛紛紅紫俱塵土。樓外垂楊千萬縷，風落絮，闌干倚遍空無語。 畢竟春歸何處所？樹頭樹底無尋處。惟有閑愁將不去，依舊住，伴人直到黄昏雨。

——金·段克己《漁家傲》

清溪一葉舟，芙蓉兩岸秋。采菱誰
家女？歌聲起暮鷗。亂雲愁。滿頭
風雨，帶荷葉歸去休。

——元・趙孟頫《後庭花破子》

窗前翠影濕芭蕉，雨瀟瀟，思無聊。
夢入鄉園，山水碧迢迢。依舊當年
行樂地，香徑杳，綠苔饒。 沉
香火底坐吹簫。憶嬌嬈，想風標。
同步芙蓉花畔赤欄橋。漁唱一聲驚
夢斷，無處覓，不堪招。

——元・倪瓚《江城子》

一江秋水淡寒烟，水影明如練。眼
底離愁數行雁，寫晴天。 綠蘋
紅蓼參差見。吴歌蕩槳，一聲哀怨，
驚起白鷗眠。

——元・倪瓚《小桃紅》

枯藤老樹昏鴉，
小橋流水人家，
古道西風瘦馬。
夕陽西下，
斷腸人在天涯。

——元・馬致遠《天净沙》

短夢驚回，北窗一陣芭蕉雨。雨聲
還住，斜日明高樹。 起望行雲，
送雨前山去。山如霧，斷虹猶怒，
直入山深處。

——元・劉敏中《點絳唇》

誰道鵝兒黃似酒？對酒新鵝，得似
垂絲柳？鉛粉泥金初染就，年年春

雪消時候。一縷柔情能斷否？雨重烟輕，無力縈窗牖。試看溪南陰十畝，落花都聚紅雲帚。

——元·張雨《蝶戀花》

斜陽一抹，青山數點，萬里澄江如練。東風吹落櫓聲遥，又喚起寒雲片片。殘鴉古渡，瘦驢村店，漸覺樓頭人遠。桃花流水小橋東，是哪個柴門半掩？

——元·滕賓《鵲橋仙》

抒情言志

游人盡道江南好，游人只合江南老。未老莫還鄉，還鄉空斷腸。綉屏金屈曲，醉入花叢宿。春水碧於天，畫船聽雨眠。

——唐·李白《菩薩蠻》

簫聲咽，秦娥夢斷秦樓月。秦樓月，年年柳色，灞陵傷別。樂游原上清秋節，咸陽古道音塵絕。音塵絕，西風殘照，漢家陵闕。

——唐·李白《憶秦娥》

梳洗罷，
獨倚望江樓。
過盡千帆皆不是，
斜暉脈脈水悠悠，
腸斷白蘋洲！

——唐·温庭筠《夢江南》

春花秋月何時了，往事知多少？小

樓昨夜又東風，故國不堪回首月明中。雕欄玉砌應猶在，只是朱顏改。問君能有幾多愁？恰似一江春水向東流。

——五代・李煜《虞美人》

簾外雨潺潺，春意闌珊。羅衾不耐五更寒。夢裏不知身是客，一晌貪歡。獨自莫憑欄，無限江山，別時容易見時難。流水落花春去也，天上人間。

——五代・李煜《浪淘沙》

無言獨上西樓，月如鉤。寂寞梧桐深院鎖清秋。剪不斷，理還亂，是離愁，別是一般滋味在心頭。

——五代・李煜《相見歡》

冰肌玉骨清無汗。水殿風來暗香滿。綉簾一點月窺人，攲枕釵橫雲鬢亂。起來瓊户啓無聲，時見疏星渡河漢。屈指西風幾時來？只恐流年暗中換。

——五代・孟昶《玉樓春》

人人盡説江南好，游人只合江南老。春水碧於天，畫船聽雨眠。壚邊人似月，皓腕凝霜雪。未老莫還鄉，還鄉須斷腸。

——五代・韋莊《菩薩蠻》

長憶西湖，盡日憑闌樓上望。三三兩兩釣魚舟，島嶼正清秋。笛聲依約蘆花裏，白鳥成行忽驚起。別來閑整釣魚竿，思入水雲寒。

——宋・潘閬《酒泉子》

碧雲天，黃葉地，秋色連波，波上寒烟翠。山映斜陽天接水，芳草無情，更在斜陽外。黯鄉魂，追旅思，夜夜除非，好夢留人睡。明月樓高休獨倚。酒入愁腸，化作相思淚。

——宋・范仲淹《蘇幕遮》

紛紛墜葉飄香砌。夜寂靜，寒聲碎。真珠簾捲玉樓空，天淡銀河垂地。年年今夜，月華如練，長是人千里。愁腸已斷無由醉，酒未到，先成淚。殘燈明滅枕頭攲，諳盡孤眠滋味。都來此事，眉間心上，無計相回避。

——宋・范仲淹《御街行》

一曲新詞酒一杯。去年天氣舊亭臺。夕陽西下幾時迴？無可奈何花落去，似曾相識燕歸來。小園香徑獨徘徊。

——宋・晏殊《浣溪沙》

檻菊愁烟蘭泣露。羅幕輕寒，燕子雙飛去。明月不諳離恨苦，斜光到曉穿朱户。昨夜西風凋碧樹。獨上高樓，望盡天涯路。欲寄彩牋兼尺素，山長水闊知何處！

——宋・晏殊《蝶戀花》

登臨送目，正故國晚秋，天氣初肅。千里澄江似練，翠峰如簇。征帆去棹殘陽裏，背西風、酒旗斜矗。綵舟雲淡，星河鷺起，畫圖難足。

念往昔，繁華競逐，嘆門外樓頭，悲恨相續。千古憑高對此，漫嗟榮辱。六朝舊事隨流水，但寒烟衰草凝緑。至今商女，時時猶唱，後庭遺曲。

——宋・王安石《桂枝香》

時爲嘉禾小倅，以病眠，不赴府會

《水調》數聲持酒聽，午醉醒來愁未醒。送春春去幾時回？臨晚鏡，傷流景，往事後期空記省。 沙上并禽池上暝，雲破月來花弄影。重重簾幕密遮燈，風不定，人初靜，明日落紅應滿徑。

——宋・張先《天仙子》

庭院深深深幾許？楊柳堆烟，簾幕無重數。玉勒雕鞍游冶處，樓高不見章臺路。 雨横風狂三月暮，門掩黄昏，無計留春住。淚眼問花花不語，亂紅飛過秋千去。

——宋・歐陽修《蝶戀花》

對瀟瀟暮雨灑江天，一番洗清秋。漸霜風淒緊，關河冷落，殘照當樓。是處紅衰翠減，苒苒物華休。惟有長江水，無語東流。 不忍登高臨遠，望故鄉渺邈，歸思難收。嘆年來踪迹，何事苦淹留！想佳人、妝樓顒望，誤幾回、天際識歸舟。爭知我、倚闌干處，正恁凝愁！

——宋・柳永《八聲甘州》

花褪殘紅青杏小。燕子飛時，綠水人家繞。枝上柳綿吹又少，天涯何處無芳草！墻裏秋千墻外道，墻外行人，墻裏佳人笑。笑漸不聞聲漸悄，多情却被無情惱。

——宋·蘇軾《蝶戀花》

夜飲東坡醒復醉，歸來髣髴三更。家童鼻息已雷鳴。敲門都不應，倚杖聽江聲。長恨此身非我有，何時忘却營營！夜闌風靜縠紋平。小舟從此逝，江海寄餘生。

——宋·蘇軾《臨江仙·夜歸臨皋》

丙辰中秋，歡飲達旦，大醉，作此篇兼懷子由。

明月幾時有？把酒問青天。不知天上宫闕，今夕是何年。我欲乘風歸去，又恐瓊樓玉宇，高處不勝寒。起舞弄清影，何似在人間！轉朱閣，低綺户，照無眠。不應有恨，何事長向別時圓？人有悲歡離合，月有陰晴圓缺，此事古難全。但願人長久，千里共嬋娟。

——宋·蘇軾《水調歌頭》

老夫聊發少年狂，左牽黄，右擎蒼，錦帽貂裘，千騎捲平岡。爲報傾城隨太守，親射虎，看孫郎。　酒酣胸膽尚開張。鬢微霜，又何妨！持節雲中，何日遣馮唐？會挽雕弓如滿月，西北望，射天狼。

——宋·蘇軾《江城子·密州出獵》

憑高眺遠，見長空、萬里雲無留迹。

桂魄飛來，光射處，冷浸一天秋碧。玉宇瓊樓，乘鸞來去，人在清涼國。江山如畫，望中烟樹歷歷。　我醉拍手狂歌，舉杯邀月，對影成三客。起舞徘徊風露下，今夕不知何夕！便欲乘風，翻然歸去，何用騎鵬翼。水晶宮裏，一聲吹斷橫笛。

——宋·蘇軾《念奴嬌·中秋》

缺月掛疏桐，漏斷人初靜。誰見幽人獨往來？縹緲孤鴻影。　驚起卻回頭，有恨無人省。揀盡寒枝不肯棲，寂寞沙洲冷。

——宋·蘇軾《卜算子·黃州定慧院寓居作》

大江東去，浪淘盡、千古風流人物。故壘西邊，人道是、三國周郎赤壁。亂石穿空，驚濤拍岸，捲起千堆雪。江山如畫，一時多少豪傑！　遥想公瑾當年，小喬初嫁了，雄姿英發。羽扇綸巾，談笑間、檣櫓灰飛烟滅。故國神游，多情應笑我，早生華髮。人生如夢，一尊還酹江月。

——宋·蘇軾《念奴嬌·赤壁懷古》

彭城夜宿燕子樓，夢盼盼，因作此詞。

明月如霜，好風如水，清景無限。曲港跳魚，圓荷瀉露，寂寞無人見。紞如三鼓，鏗然一葉，黯黯夢雲驚斷。夜茫茫，重尋無處，覺來小園行遍。　天涯倦客，山中歸路，望斷故園心眼。燕子樓空，佳人何在？空鎖樓中燕。古今如夢，何曾夢覺，但有舊歡新怨。異時對、黄樓夜景，爲余浩嘆。

——宋·蘇軾《永遇樂》

八月十七日，同諸甥待月。有客孫彦立者，善吹笛，有名酒酌之。

斷虹霽雨，净秋空、山染修眉新緑。桂影扶疎，誰便道、今夕清輝不足？萬里青天，姮娥何處，駕此一輪玉。寒光零亂，爲誰偏照醽醁？　年少從我追游，晚涼幽徑，遶張園森木。共倒金荷，家萬里、難得尊前相屬。老子平生，江南江北，最愛臨風笛。孫郎微笑，坐來聲噴霜竹。

——宋·黄庭堅《念奴嬌》

纖雲弄巧，飛星傳恨，銀漢迢迢暗度。金風玉露一相逢，便勝却人間無數。　柔情似水，佳期如夢，忍顧鵲橋歸路！兩情若是久長時，又豈在朝朝暮暮！

——宋·秦觀《鵲橋仙》

遥夜沉沉如水，風緊驛亭深閉。夢破鼠窺燈，霜送曉寒侵被。無寐，無寐，門外馬嘶人起。

——宋·秦觀《如夢令》

少年俠氣，交結五都雄。肝膽洞，毛髮聳。立談中，死生同，一諾千金重。推翹勇，矜豪縱，輕蓋擁，聯飛鞚，斗城東。轟飲酒壚，春色浮寒甕，吸海垂虹。閑呼鷹嗾犬，白羽摘雕弓，狡穴俄空。樂匆匆。似黃粱夢，辭丹鳳；明月共，漾孤篷。官冗從，懷倥傯，落塵籠，簿書叢。鶡弁如雲衆，供麤用，忽奇功。笳鼓動，漁陽弄；思悲翁，不請長纓，繫取天驕種，劍吼西風。恨登山臨水，手寄七絃桐，目送歸鴻。

——宋・賀鑄《六州歌頭》

萋萋芳草憶王孫，柳外樓高空斷魂。杜宇聲聲不忍聞。欲黃昏，雨打梨花深閉門。

——宋・李重元《憶王孫・春詞》

蕭條庭院，又斜風細雨，重門須閉。寵柳嬌花寒食近，種種惱人天氣。險韻詩成，扶頭酒醒，別是閑滋味。征鴻過盡，萬千心事難寄。 樓上幾日春寒，簾垂四面，玉闌干慵倚。被冷香消新夢覺，不許愁人不起。清露晨流，新桐初引，多少游春意！日高烟斂，更看今日晴未？

——宋・李清照《念奴嬌》

落日鎔金，暮雲合璧，人在何處？染柳烟濃，吹梅笛怨，春意知幾許！元宵佳節，融和天氣，次第豈無風雨？來相召，香車寶馬，謝他酒朋詩侶。 中州盛日，閨門多暇，記得偏重三五。鋪翠冠兒，撚金雪柳，簇帶爭濟楚。如今憔悴，風鬟霧鬢，怕見夜間出去。不如向簾兒底下，聽人笑語。

——宋・李清照《永遇樂》

紅藕香殘玉簟秋。輕解羅裳，獨上蘭舟。雲中誰寄錦書來？雁字回時，月滿西樓。花自飄零水自流。一種相思，兩處閑愁。此情無計可消除，纔下眉頭，却上心頭。

——宋・李清照《一剪梅》

天接雲濤連曉霧，星河欲轉千帆舞。彷彿夢魂歸帝所，聞天語，殷勤問我歸何處。我報路長嗟日暮，學詩謾有驚人句。九萬里風鵬正舉。風休住，蓬舟吹取三山去。

——宋・李清照《漁家傲》

縹緲危亭，笑談獨在千峰上。與誰同賞，萬里橫烟浪。老去情懷，猶作天涯想。空惆悵！少年豪放，莫學衰翁樣。

——宋・葉夢得《點絳唇・紹興乙卯登絶頂小亭》

曳杖危樓去，斗垂天，滄波萬頃，月流烟渚。掃盡浮雲風不定，未放扁舟夜渡。宿雁落、寒蘆深處。悵望關河空弔影，正人間、鼻息鳴鼉鼓，誰伴我，醉中舞？十年一夢揚州路，倚高寒，愁生故國，氣吞驕虜。要斬樓蘭三尺劍，遺恨琵琶舊語。謾暗澀、銅華塵土。喚取謫仙平章看，過苕溪尚許垂綸否？風浩蕩，欲飛舉。

——宋·張元幹《賀新郎·寄李伯紀丞相》

春水迷天，桃花浪、幾番風惡。雲作起，遠山遮盡，晚風還作。绿遍芳洲生杜若，楚帆帶雨烟中落。傍向來、沙嘴共停橈，傷飄泊。寒猶在，衾偏薄。腸欲斷，愁難著。倚篷窗無寐，引杯孤酌。寒食清明都過却，最憐輕負年時約。想小樓、終日望歸舟，人如削。

——宋·張元幹《滿江紅·自豫章阻風吴城山作》

恨君不似江樓月，南北東西，南北東西，只有相隨無別離。恨君却似江樓月，暫滿還虧，暫滿還虧，待得團圓是幾時？

——宋·吕本中《采桑子·別情》

天！休使圓蟾照客眠。人何在？桂影自嬋娟。

——宋·蔡伸《蒼梧謠》

我是清都山水郎，天教懶慢帶疏狂。曾批給露支風敕，累奏留雲借月章。詩萬首，酒千觴，幾曾着眼看侯王？玉樓金闕慵歸去，且插梅花醉洛陽。

——宋·朱敦儒《鷓鴣天·西都作》

倚天絕壁，直下江千尺。天際兩蛾

凝黛，愁與恨，幾時極？暮潮風正急，酒闌聞塞笛。試問謫仙何處？青山外，遠烟碧。

——宋·韓元吉《霜天曉角·題采石蛾眉亭》

滿載一船明月，平鋪千里秋江。波神留我看斜陽，喚起鱗鱗細浪。明日風回更好，今朝露宿何妨？水晶宫裏奏《霓裳》，準擬岳陽樓上。

——宋·張孝祥《西江月·黄陵廟》

問訊湖邊春色，重來又是三年。東風吹我過湖船，楊柳絲絲拂面。世路如今已慣，此心到處悠然。寒光亭下水連天，飛起沙鷗一片。

——宋·張孝祥《水調歌頭·題溧陽三塔寺》

月未到誠齋，先到萬花川谷。不是誠齋無月，隔一庭修竹。如今纔是十三夜，月色已如玉。未是秋光奇絶，看十五十六。

——宋·楊萬里《好事近》

驛外斷橋邊，寂寞開無主。已是黄昏獨自愁，更著風和雨。無意苦爭春，一任群芳妒。零落成泥碾作塵，只有香如故。

——宋·陸游《卜算子·詠梅》

七月十六日晚，登高興亭，望長安南山。

秋到邊城角聲哀，烽火照高臺。悲歌擊筑，憑高酹酒，此興悠哉！
多情誰似南山月，特地暮雲開。灞橋烟柳，曲江池館，應待人來。

——宋・陸游《秋波媚》

華燈縱博，雕鞍馳射，誰記當年豪舉？酒徒一一取封侯，獨去作江邊漁父。　輕舟八尺，低篷三扇，占斷蘋洲烟雨。鏡湖元自屬閑人，又何必官家賜與！

——宋・陸游《鵲橋仙》

醉裏且貪歡笑，要愁那得工夫。近來始覺古人書，信著全無是處。
昨夜松邊醉倒，問松我醉何如？只疑松動要來扶，以手推松曰去！

——宋・辛棄疾《西江月・遣興》

東風夜放花千樹，更吹落、星如雨。寶馬雕車香滿路。鳳簫聲動，玉壺光轉，一夜魚龍舞。　蛾兒雪柳黃金縷，笑語盈盈暗香去。衆裏尋他千百度；驀然回首，那人却在、燈火闌珊處。

——宋・辛棄疾《青玉案・元夕》

千古江山，英雄無覓、孫仲謀處。舞榭歌臺，風流總被、雨打風吹去。斜陽草樹，尋常巷陌，人道寄奴曾住。想當年、金戈鐵馬，氣吞萬里如虎。　元嘉草草，封狼居胥，贏得倉皇北顧。四十三年，望中猶記、烽火揚州路。可堪回首，佛貍祠下，一片神鴉社鼓！憑誰問：廉頗老矣，尚能飯否？

——宋·辛棄疾《永遇樂·京口北固亭懷古》

少年不識愁滋味，愛上層樓；愛上層樓，爲賦新詞强説愁。　而今識盡愁滋味，欲説還休；欲説還休，却道『天凉好個秋』。

——宋·辛棄疾《醜奴兒·書博山道中壁》

彈鋏西來路，記匆匆、經行數日，幾番風雨。夢裏尋秋秋不見，秋在平蕪遠渚。想雁信家山何處？萬里西風吹客鬢，把菱花、自笑人憔悴。留不住，少年去。男兒事業無憑據，記當年、擊築悲歌，酒酣箕踞。腰下光鋩三尺劍，時解挑燈夜語，更忍對燈花彈淚？喚起杜陵風雨手，寫江東渭北相思句。歌此恨，慰羈旅。

——宋·劉過《賀新郎》

空濛玉華曉，瀟灑石淙秋。嵩高大有佳處，元在玉溪頭。翠壁丹崖千丈，古木寒藤兩岸，村落帶林丘。今日好風色，可以放吾舟。　百年來，算惟有，此翁游。山川邂逅佳客，猿鳥亦相留。父老鷄豚鄉社，兒女籃輿竹几，來往亦風流。萬事已華髮，吾道付滄洲。

——金·元好問《水調歌頭》

今古北邙山下路，黃塵老盡英雄。人生長恨水長東！幽懷誰共語？遠目送歸鴻。 蓋世功名將底用？從前錯怨天公。浩歌一曲酒千鍾。男兒行處是，未要論窮通。

——金・元好問《臨江仙》

潮生潮落何時了？斷送行人老！消沉萬古意無窮，盡在長空、淡淡鳥飛中。海門幾點青山小，望極烟波渺。何當駕我以長風？便欲乘桴、浮到日華東。

——元・趙孟頫《虞美人》

花如雪，東風夜掃蘇堤月。蘇堤月，香銷南國，幾回圓缺？ 錢塘江上潮聲歇，江邊楊柳誰攀折？誰攀折？西陵渡口，古今離別。

——元・王蒙《憶秦娥》

秋風裊裊白雲飛，人在平湖醉，雲影湖光淡無際，錦屏圍。 故人遠在千山外，百年心事，一樽濁酒，長使此心違。

——元・王惲《平湖樂》

憑畫欄，雨洗秋濃人淡。隔水殘霞明冉冉，小山三四點。 艇子幾時同泛？待折荷花臨鑒。日日綠盤疏粉艷，西風無處減。

——清・厲鶚《謁金門》

卷五　名文

性靈小品

管寧、華歆共園中鋤菜，見地有片金，管揮鋤與瓦石不异，華捉而擲去之。又嘗同席讀書，有乘軒冕過門者，寧讀如故，歆廢書出看。寧割席分坐，曰：『子非吾友也！』

——南朝·劉義慶《世説新語·管寧割席》

王子猷居山陰，夜大雪，眠覺，開室命酌酒，四望皎然。因起彷徨。咏左思《招隱》詩，忽憶戴安道。時戴在剡，即便夜乘小船就之。經宿方至，造門不前而返。人問其故，王曰：『吾本乘興而行，興盡而返，何必見戴！』

——南朝·劉義慶《世説新語·王徽之夜訪戴逵》

張季鷹辟齊王東曹掾，在洛，見秋風起，因思吴中菰菜羹、鱸魚膾，曰：『人生貴得適意爾，何能羈宦數千里以要名爵？』遂命駕便歸。俄而齊王敗，時人皆謂爲見機。

——南朝·劉義慶《世說新語·張翰思蒓羹鱸膾》

山不在高，有仙則名；水不在深，有龍則靈。斯是陋室，惟吾德馨。苔痕上階緑，草色入簾青。談笑有鴻儒，往來無白丁。可以調素琴，閲金經；無絲竹之亂耳，無案牘之勞形。南陽諸葛廬，西蜀子雲亭。孔子云：『何陋之有？』

——唐·劉禹錫《陋室銘》

水陸草木之花，可愛者甚蕃。晋陶淵明獨愛菊；自李唐來，世人甚愛牡丹；予獨愛蓮之出淤泥而不染，濯清漣而不妖，中通外直，不蔓不枝，香遠益清，亭亭净植，可遠觀而不可褻玩焉。

予謂菊，花之隱逸者也；牡丹，花之富貴者也；蓮，花之君子者也。噫！菊之愛，陶之後鮮有聞；蓮之愛，同予者何人？牡丹之愛，宜乎衆矣！

——宋·周敦頤《愛蓮説》

上堂：『心若無事，萬法不生。意絶玄機，纖塵何立？道本無體，因體而立名。道本無名，因名而得號。若言即心即佛，今時未入玄微。若言非心非佛，猶是指踪極則。向上一路，千聖不傳。學者勞形，如猿捉影。』

上堂：『夫大道無中，復誰先後。長空絕際，何用稱量？空既如斯，道復何說？』

上堂：『夫心月孤圓，光吞萬象。光非照境，境亦非存。光境俱亡，復是何物？禪德譬如擲劍揮空，莫論及之不及，斯乃空輪無迹，劍刃無虧。若能如是，心心無知。全心即佛，全佛即人。人佛無異，始爲道矣。』

——宋·普濟《五燈會元·卷第三》

吾輩不可不存時時可死之心，不可不行步步求生之事。存心事事可死，則身輕而道念自生；行事步步求生，則性善而孽緣不墮。

人生不可不儲三副痛淚。一副哭天下大事不可爲，一副哭文章不遇識者，一副哭從來淪落不偶佳人。此三副方屬英雄血淚，真事業，真性情，俱在此中，非復兒女情長執手涕泣比也。

天下不堪回首之境有五：哀逝過舊游處，憫亂說太平事，垂老憶新婚時，花髮向陌頭長別，覺來覓夢中奇遇，未免有情，感均頑艷矣。然以情之最惡者言之，不若遺老吊故國山河，商婦話當年車馬，尤爲悲憫可憐。

——明·湯傳楹《閑餘筆話》

山中賞此身不可無，城郭中視此身爲贅。

流水之聲可以養耳，青禾緑草可以養目，觀書繹理可以養心，彈琴學字可以養指，逍遥杖履可以養足，静坐調息可以養筋骸。

秋坐小樓，環植蘭桂，香魂月魄，竟夜争清，尤令人忘寐。

人能自老看少，自死看生，自敗看成，自悴看榮，則性定而動自正。

——明·陳益祥《潛穎録》

山居觀世態紛紜，歷歷如睹，在中朝混揉，未必然，蓋旁觀者清，自古如此。堯夫曰：『遂令高卧人，欹枕看兒戲。』

天下有不如意事，不當忿激與争。昔人謂：『今世齷齪富貴者，止如醉人弄酒風，正可耐渠一餉間。』言雖謔而可法。

——明·陳於陛《意見》

士人作畫，當以草隸奇字之法爲之，樹如屈鐵，山如畫沙，絶去甜俗蹊徑，乃爲士氣。止祥仿仲圭畫，點畫間筆筆有行草書意，蓋取法仲圭，而又能解脱繩束，真是透網金鱗，令人從何處捉摸。

——明·張岱《跋祁止祥畫》

晨窗看菊，枝頭盡帶清霜；月地觀梅，根底尚留殘雪。天餘冷趣以悦幽人。

梅是和靖化身，菊是淵明出世，小圃内時對古人；石想元章顛骨，竹想子猷清襟，山窗下常逢勝友。

光陰雖短，静者自長；歲月無多，忙人更促。神隨天運，一日可當百年；意隨物移，百年猶如一日。故東陵之血氣，當時已死；陋巷之精神，今日猶生。

生來赤赤條條，不帶一物；死去干干净净，不掛寸絲。目前幾許光陰，心上恁般計較！

去日無窮，來日無窮，顧此百年，何异電光石火；貴人亦死，富人亦死，終歸一盡，何須蝸角蠅頭！

——明·余紹祉《元邱素話》

幸生勝地，鞋靸下饒有山川；喜作閑人，酒席間只談風月。野航恰受，不逾兩三；便榼隨行，各携一二。僧上鳧下，觴止茗生。談笑雜以詼諧，陶寫賴此絲竹。興來即出，可趁樵風；日暮輒歸，不因剡雪。願邀同志，用續前游。

——明·張岱《游山小啓》

銀蟾皎潔，玉露凄清，四顧人寰，萬里一碧。攜一二良朋，鬥酒淋漓，彩毫縱橫，仰問嫦娥：『悔偷靈藥否？』安得青鸞一隻，跨之憑虛遠游，直八萬頃琉璃中也。

——明・衛泳《閑賞中秋》

園以藏山，所貴者反在於水。自泛舟及園，以爲水之事盡，迨循廊而西，曲沼澄泓，繞出青林之下。主與客似從琉璃國而來，鬚眉若浣，衣袖皆濕，因憶杜老殘夜水明句。以廊代樓，未識少陵首肯否？

——明・祁彪佳《水明廊》

古今能文章之士，皆胸中無物，眼底無人。無物，故河山大地，以至花蟲魚鳥，都足供給筆端。無人，故先秦兩漢，百家諸子，只是我尋常交往。少則證羲畫之爻，多則衍天龍之義。酒籍肉賬，悉成佳編，怒罵戲笑，無非至論。昔之坡仙，今之卓老，庶幾近之乎！

——明・黃虞龍《與客》

香茗之用，其利最溥。物外高隱，坐語道德，可以清心悅神，初陽薄暝，興味蕭騷，可以暢懷舒嘯。晴窗搨帖，揮麈閑吟，篝燈夜讀，可以遠辟睡魔。青衣紅袖，密語談私，可以助情熱意。坐雨閉窗，飯餘散步，可以遣寂除煩。醉筵醒客，夜雨蓬窗，長嘯空樓，冰弦戛指，可以佐奴解渴。品之最優者，以沉香岕茶爲首。第烹煮有法，必貞夫韻士，乃能究心耳。

——明·文震亨《香茗》

人心常帶三分憂患，則事業可成。人身常帶三分疾病，則性命可保。茶味愈久而愈苦，蔗味愈老而愈甘，人心愈煉而愈透。松柏傲霜雪而見節，不能假霜雪以敷榮。桃李帶雨露而呈姿，未免因雨露而敗色。

——明·王佐《敬勝堂雜語》

往時至湖上，從斷橋一望，便魂消欲絕！還謂所知，湖之瀲灩熹微，大約如晨光之着樹，明月之入廬，蓋山水相映發。他處即有澄波巨浸，不及也。壬子正月以訪舊，重至湖上，輒獨往斷橋，徘徊終日。翌日爲楊讖西題扇曰：

十里西湖意，都來在斷橋。

寒生梅萼小，春入柳絲嬌。

作見應疑夢，重來不待招。
故人知我否？吟望正蕭條。

又明日作此圖。小春四日，同子陽、子與夜話偶題。

——明・李流芳《題斷橋春望圖》

銀河清淺，萬籟無聲；濁酒一壺，素琴一張。願與幽人共之。

作之不止，可以勝天；止之不作，猶如畫地。

酒足以狂顚士，色足以殺壯士，利足以點素士，名足以絆高士。

術不可以久行，僞不可以屢作。術以巧勝，巧窮則拙矣。僞以飾勝，飾窮則露矣。

好食人者虎，好竊人者鼠，好螫人者蝎，好吠人者犬，好媚人者狐，好陰中人者鬼蜮。今世之爲虎、爲鼠、爲蝎、爲狐、爲鬼蜮者多矣。

——明・楊夢衮《草玄亭漫語》

憎人面孔，落在酒杯；憐世心腸，藏之詩句。

應世法，微微一笑；度世法，冷冷半語。

觀變態之極幻，則浮雲轉有常情。咀世味之皆空，則流水轉之濃旨。

眼界窄，襟懷不寬；心腸小，步履不大。昔人云：『一心可以處萬事，二心不可以處一事。』余云：『一心可以交萬友，二心不可以交一友。』

讓利精於取利，逃名巧於徼名。

凡名易居，清名難居。凡福易享，清福難享。

——明·何偉然《嘔絲》

剖去胸中荆棘，以便人我往來，是天下第一快活世界。

枝頭秋葉，將落猶然戀樹。檐前野鳥，除死方得離籠。人之處世，可憐如此。

宇宙内事，要力擔當，又要善擺脱。不擔當則無經世之事業，不擺脱則無出世之襟期。

雪後尋梅，霜前訪菊，雨際護蘭，風外聽竹，固野客之閑情，實文人之深趣。

清閑無事，坐卧隨心，雖粗衣淡食，自有一段真趣。紛擾不寧，憂患纏身，雖錦衣厚味，只覺萬狀愁苦。

貧不能享客，而好客。老不能徇世，而好維世。窮不能買書，而好奇書。

世味濃，不求忙而忙自至。世味淡，不偷閑而閑自來。

窗前落月，戶外垂蘿，石畔草根，橋頭樹影，可立可卧，可坐可吟。

閑暇時，取古人快意文章，朗朗讀之，則心神超逸，鬚眉開張。

霜降木落時，入疏林深處，坐樹根上，飄飄葉點衣袖，而野鳥從樹梢飛來窺人。荒涼之地，殊有清曠之致。

富貴大是能俗人之物，使吾輩當之，自可不俗。然有此不俗胸襟，自可不富貴矣。

吾齋之中，不尚虛禮。凡入此齋，均爲知己，隨分款留，忘形笑語，不言是非，不侈榮利，閑談古今，静玩山水，清茶好香，以適幽趣。臭味之交，如斯而已。

世路中人，或圖功名，或治生産，盡自正經，争奈天地間好風月、好山水、好書籍，了不相涉，豈非枉却一生。

能爲世必不可少之人，能爲人必不可及之事，則庶幾此生不虛。

救既敗之事者，如馭臨崖之馬，休輕策一鞭。圖垂成之功者，如挽上灘之舟，莫少停一棹。

旨愈濃而情愈淡者，霜林之紅葉。香愈近而神愈遠者，秋水之白蘋。

與梅同瘦，與竹同清，與柳同眠，與桃李同笑，居然花裏神仙。與鶯同聲，與燕同語，與鶴同唳，與鸚鵡同言，如此話中知己。

兒女情，英雄氣，并行不悖。或柔腸，或俠骨，總是吾徒。坦易其心胸，真率其笑語，疏野其禮數，簡少其交游。欲做精金美玉的人品，定從烈火中鍛來。思立揭地掀天的事功，須向薄冰上履過。

——明・陸紹珩《醉古堂劍掃》

明有奇巧人，曰王叔遠，能以徑寸之木，爲宮室、器皿、人物，以至鳥獸、木石，罔不因勢象形，各具情態。嘗貽余核舟一，蓋大蘇泛赤壁云。舟首尾長約八分有奇，高可二黍許。中軒敞者爲艙，箬篷覆之。旁開小窗，左右各四，共八扇。啓窗而觀，雕欄相望焉。閉之，則右刻『山高月小，水落石出』，左刻『清風徐來，水波不興』，石青糝之。

船頭坐三人，中峨冠而多髯者爲東坡，佛印居右，魯直居左。蘇、黄共閲一手卷。東坡右手執卷端，左手撫魯直背。魯直左手執卷末，右手指卷，如有所語。東坡現右足，魯直現左足，各微側，其兩膝相比者，各隱卷底衣褶中。佛印絶類彌勒，袒胸露乳，矯首昂視，神情與蘇、黄不屬。卧右膝，詘右臂支船，而豎其左膝，左臂掛念珠倚之——珠可歷歷數也。

舟尾横卧一楫。楫左右舟子各一人。居右者椎髻仰面，左手倚一衡木，右手攀右趾，若嘯呼狀。居左者右手執蒲葵扇，左手撫爐，爐上有壺，其人視端容寂，若聽茶聲然。

其船背稍夷，則題名其上，文曰『天啓壬戌秋日，虞山王毅叔遠甫刻』，細若蚊足，鈎畫了了，其色墨。又用篆章一，文曰『初平山人』，其色丹。

通計一舟，爲人五；爲窗八；爲箬篷，爲楫，爲爐，爲壺，爲手卷，爲念珠各一；對聯、題名并篆文，爲字共三十有四。而計其長曾不盈寸。蓋簡桃核修狹者爲之。嘻，技亦靈怪矣哉！

——明・魏學洢《核舟記》

宦情太濃，歸時過不得。生趣太濃，死時過不得。甚矣，有味於淡也！

乘舟而遇逆風，見揚帆者不無妒念。彼自處順，於我何關？我自處逆，於彼何與？究竟思之，都是自生煩惱。天下事大率類此。

清苦是佳事。雖然，天下豈有薄於自待，而能厚於待人者乎？

靜坐然後知平日之氣浮。守默然後知平日之言躁。省事然後知平日之費閑。閉户然後知平日之交濫。寡欲然後知平日之病多。近情然後知平日之念刻。

泛交則多費，多費則多營，多營則多求，多求則多辱。《語》不云乎？

『以約失之者鮮矣。』當三復斯言。

看中人，看其大處不走作。看豪傑，看其小處不滲漏。

留七分正經以度生，留三分痴呆以防死。

金帛多，只是博得垂死時子孫眼淚少；不知其他，知有争而已。金帛少，只是博得垂死時子孫眼淚多；亦不知其他，知有親而已。

閉門即是深山，讀書隨處净土。

人有好爲清態而反濁者，有好爲富態而反貧者，有好爲文態而反俗者，有好爲高態而反卑者，有好爲淡態而反濃者，有好爲古態而反今者，有好爲奇態而反平者。吾以爲不如混沌爲佳。

治國家有二言，曰：忙時閑做，閑時忙做。變氣質有二言，曰：生處漸熟，熟處漸生。

得意而喜，失意而怒，便被順逆差遣，何曾作得主。馬牛爲人穿着鼻孔，要行則行，要止則止。不知世上一切差遣得我者，皆是穿我鼻孔者也。自朝至暮，自少至老，其不爲馬牛者幾何？哀哉！

——明·陳繼儒《安得長者言》

『奮公古白』美其老也。一切花竹，皆貴少年，獨松、柏與梅三物，則貴亭則然，欲享三老之益者，必買舊宅而居，若俟手栽，爲兒孫計則可，身則不能觀其成也。求其可移而能就我者，縱使極大，亦是五更非三老矣。予嘗戲謂諸後生曰：『欲作畫圖中人，非老不可。三五少年，皆賤物也。』後生詢其故。予曰：『不見畫山水者，每及人物，必作扶筇曳杖之形，即坐而觀山臨水，亦是老人矍鑠之狀。從來未有俊美少年厠於其間者。少年亦有，非携琴捧畫之流，即挈盒持樽之輩，皆奴隸於畫中者也。』後生輩欲反證予言，卒無其據。引此以喻松柏，可謂合倫。如一座園亭，所有者皆時花弱卉，無十數本老成樹木主宰其間，是終日與兒女子習處，無從師會友時矣。名流作畫肯若是乎？噫！予持此說一生，終不得與老成爲伍，乃今年已入畫，猶日坐兒女叢中。殆以花木爲我，而我爲松柏者乎？

——清·李漁《松柏》

弈棋盡可消閑，似難借以行樂；彈琴實堪養性，未易執此求歡。以琴必正襟危坐而彈，棋必整槊横戈以待。百骸盡放之時，何必再期整肅？萬念俱忘之際，豈宜復較輸贏？常有貴禄榮名付之一擲，而與人圍棋賭勝，不肯以一着相饒者，是與讓千乘之國，而争簞食豆羹者何異哉？故喜談不若喜聽，善弈不如善觀，人勝而我爲之喜，人敗而我不必爲之憂，則是常居勝地也；人彈和緩之音而我爲之吉，人彈憔殺之音而我不必爲之凶，則是長爲吉人也。或觀聽之餘，不無技癢，何妨偶一爲之，但不寢食其中而莫之或出，則爲善彈善弈者耳。

——清·李漁《聽琴觀棋》

竹圃初葺，微雨一過，苔潔蘿鮮。予坐其中，頹如塊雪耳，何與筆墨事？而顧相引以深也。蕉紙蟲書，似以韻勝，不欲落烟食朵頤。舉向花間，倩鳥哦之。公冶子何在？聽此泠然。世無忌人，容我仙去。

——清·廖燕《自題竹籟小草》

馮開之先生喜飲茶，而好親其事。人或問之，答曰：『此事如美人、如彝鼎、如古法書名畫，豈宜落他人手。』聞者嘆美。然先生對客談，輒不止。童子滌壺以待，會盛談未及着茶，時傾白水而進之，先生未嘗不欣然，自謂得法，客亦不敢不稱善也。世號白水先生云。

——清·張大復《馮先生》

陳白陽畫山水六幅，所謂意到之作，未嘗有法而不可謂之無法也。倪伯遠持見示，因具絕句于詩。予非知畫者，忽然見之，亦覺心花怒開，因與伯

逵 世長究問今人不及古人處 其說不能一。予笑曰：『自白陽此等畫出，所以今人不如古人也。』兩人莫對。予曰：『今日但見白陽意到之作，淡墨淋漓，縱橫自在，便失聲叫好，不知其平日經幾爐錘，經幾推敲。大山長山、丘阜溪壑，一一全具於胸中，不差毫末，然後拋却影象，振筆直遂，所以方尺之紙，勢若千里，模糊之處，具諸生韻。所謂死骷髏上活眼再開者也。今人寫得一草一木，一壑一丘，未有幾分相似，便從古人意到之作學起，都成淡薄了，了無意致，又何怪哉！』

——清・張大復《畫》

季弟獲桃墜一枚，長五分許，横廣四分。全核向背皆山。山坳插一城，雉歷歷可數。城巔具層樓。樓門洞敞，中有人，類司更卒，執桴鼓，若寒凍不勝者。枕山麓一寺，老松隱蔽三章。松下鑿雙户，可開闔。户内一僧，側首傾聽。户虚掩，如應門；洞開，如延納狀；左右度之無不宜。松外東來一衲，負卷帙踉蹌行，若爲佛事夜歸者。對林一小陀，似聞足音僕僕前。核側出浮屠七級，距灘半黍。近灘維一小舟，蓬窗短舷間，有客憑几假寐，形若漸寤然；舟尾一小童，擁護噓火，蓋供客也。艤舟處，當寺陰，高阜鐘閣踞焉。叩鐘者貌爽爽自得，睡足徐興乃爾。山頂月晦半規，雜疏星數點。

下則波紋漲起，作潮來候。取詩『姑蘇城外寒山寺，夜半鐘聲到客船』之句。計人凡七：僧四，客一，童一，卒一。宮室器具凡九：城一，樓一，招提一，浮屠一，舟一，閣一，爐竈一，鐘、鼓各一。景凡七：山、水、林木、灘石四，星、月、燈火三。而人事如傳更，報曉，候門，夜歸，隱几，煎茶，統爲六，各殊致殊意；且并其愁苦、寒懼、凝思諸態，俱一一肖之。

語云：『納須彌於芥子。』殆謂是歟！

——清・宋起鳳《核工記》

觀自在菩薩，行深般若波羅蜜多時，照見五蘊皆空，度一切苦厄。舍利子，色不异空，空不异色。色即是空，空即是色。受、想、行、識，亦復如是。舍利子，是諸法空相，不生不滅，不垢不净，不增不減。是故空中無色，無受、想、行、識，無眼、耳、鼻、舌、身、意，無色、聲、香、味、觸、法。無眼界，乃至無意識界。無無明，亦無無明盡，乃至無老死，亦無老死盡。無苦、集、滅、道。無智亦無得。以無所得故。菩提薩埵，依般若波羅蜜多故，心無掛礙。無掛礙故，無有恐怖。遠離顛倒夢想，究竟涅槃。三世諸佛，依般若波羅蜜多故，得阿耨多羅三藐三菩提。故知般若波羅蜜多，是大神咒，是大明咒，是無上咒，是無等等咒，能除一切苦，真實不虛。故說般若波羅蜜多咒，即説咒曰：揭諦揭諦，波羅揭諦，波羅僧揭諦，菩提娑婆訶。

——般若波羅蜜多心經

書信序跋

夫君子之行，靜以修身，儉以養德。非澹泊無以明志，非寧靜無以致遠。夫學須靜也，才須學也，非學無以廣才，非志無以成學。淫漫則不能勵精，險躁則不能治性，年與時馳，意與日去，遂成枯落，多不接世，悲守窮廬，將復何及。

——三國·蜀·諸葛亮《誡子篇》

臣亮言：先帝創業未半而中道崩殂，今天下三分，益州疲弊，此誠危急存亡之秋也。然侍衛之臣不懈於內，忠志之士忘身於外者，蓋追先帝之殊遇，欲報之於陛下也。誠宜開張聖聽，以光先帝遺德，恢弘志士之氣，不宜妄自菲薄，引喻失義，以塞忠諫之路也。

宮中府中，俱爲一體；陟罰臧否，不宜异同。若有作奸犯科及爲忠善者，宜付有司論其刑賞，以昭陛下平明之理；不宜偏私，使內外异法也。

侍中、侍郎郭攸之、費禕、董允等，此皆良實，志慮忠純，是以先帝簡拔以遺陛下。愚以爲宫中之事，事無大小，悉以咨之，然後施行，必能裨補缺漏，有所廣益。將軍向寵，性行淑均，曉暢軍事，試用於昔日，先帝稱之曰能，是以衆議舉寵爲督。愚以爲營中之事，悉以咨之，必能使行陣和睦，優劣得所。親賢臣，遠小人，此先漢所以興隆也；親小人，遠賢臣，此後漢所以傾頽也。先帝在時，每與臣論此事，未嘗不嘆息痛恨於桓、靈也。侍中、尚書、長史、參軍，此悉貞良死節之臣，願陛下親之信之，則漢室之隆，可計日而待也。

臣本布衣，躬耕於南陽，苟全性命於亂世，不求聞達於諸侯。先帝不以臣卑鄙，猥自枉屈，三顧臣於草廬之中，咨臣以當世之事，由是感激，遂許先帝以驅馳。後值傾覆，受任於敗軍之際，奉命於危難之間，爾來二十有一年矣。先帝知臣謹慎，故臨崩寄臣以大事也。受命以來，夙夜憂嘆，恐托付不效，以傷先帝之明，故五月渡瀘，深入不毛。今南方已定，兵甲已足，當奬率三軍，北定中原，庶竭駑鈍，攘除奸凶，興復漢室，還於舊都。此臣所以報先帝，而忠陛下之職分也。至於斟酌損益，進盡忠言，則攸之、禕、允之任也。

願陛下托臣以討賊興復之效，不效則治臣之罪，以告先帝之靈；若無興德之言，則責攸之、禕、允等之慢，以彰其咎；陛下亦宜自謀，以諮諏善道，察納雅言，深追先帝遺詔。臣不勝受恩感激。

今當遠離，臨表涕零，不知所言。

——三國・蜀・諸葛亮《出師表》

先生不知何許人也，亦不詳其姓字。宅邊有五柳樹，因以爲號焉。閑静少言，不慕榮利。好讀書，不求甚解。每有會意，便欣然忘食。性嗜酒，家貧，不能常得。親舊知其如此，或置酒而招之。造飲輒盡，期在必醉。既醉而退，曾不吝情去留。環堵蕭然，不蔽風日。短褐穿結，簞瓢屢空，晏如也。常著文章自娱，頗示己志。忘懷得失，以此自終。贊曰：『黔婁有言：「不戚戚於貧賤，不汲汲於富貴。」』其言茲若人之儔乎。銜觴賦詩，以樂其志，無懷氏之民歟。葛天氏之民歟。

——晋・陶潛《五柳先生傳》

風烟俱净，天山共色。從流飄蕩，任意東西。自富陽至桐廬，一百許里，奇山异水，天下獨絶。水皆縹碧，千丈見底。游魚細石，直視無礙。急湍甚箭，猛浪若奔。夾岸高山，皆生寒樹，負勢競上，互相軒邈，争高直指，千百成峰。泉水激石，泠泠作響。好鳥相鳴，嚶嚶成韻。蟬則千囀不窮，猿則百叫無絕。鳶飛戾天者，望峰息心。經綸世務者，窺谷忘反。橫柯上蔽，在晝猶昏。疏條交映，有時見日。

——南北朝·吳均《與朱元思書》

古之學者必有師。師者，所以傳道、受業、解惑也。人非生而知之者，孰能無惑？惑而不從師，其爲惑也，終不解矣。

生乎吾前，其聞道也固先乎吾，吾從而師之；生乎吾後，其聞道也亦先乎吾，吾從而師之。吾師道也，夫庸知其年之先後生於吾乎？是故無貴無賤，無長無少，道之所存，師之所存也。

嗟乎！師道之不傳也久矣，欲人之無惑也難矣。古之聖人，其出人也遠矣，猶且從師而問焉；今之衆人，其下聖人也亦遠矣，而恥學於師。是故聖益聖，愚益愚。聖人之所以爲聖，愚人之所以爲愚，其皆出於此乎？

愛其子，擇師而教之；於其身也，則恥師焉，惑矣！彼童子之師，授之書而習其句讀者，非吾所謂傳其道解其惑者也。句讀之不知，惑之不解，或師焉，或不焉，小學而大遺，吾未見其明也。

巫醫樂師百工之人，不恥相師。士大夫之族，曰師、曰弟子云者，則群聚而笑之。問之，則曰：『彼與彼年相若也，道相似也。位卑則足羞，官盛則近諛。』嗚呼！師道之不復，可知矣！巫醫樂師百工之人，君子不齒，今其智乃反不能及，其可怪也歟！

聖人無常師。孔子師郯子、萇弘、師襄、老聃。郯子之徒，其賢不及孔子。孔子曰：三人行，則必有我師。是故弟子不必不如師，師不必賢於弟子，聞道有先後，術業有專攻，如是而已。

李氏子蟠，年十七，好古文，六藝經傳，皆通習之，不拘於時，學於余。余嘉其能行古道，作《師説》以貽之。

——唐·韓愈《師説》

夫天地者，萬物之逆旅；光陰者，百代之過客。而浮生若夢，爲歡幾何？古人秉燭夜游，良有以也。况陽春召我以烟景，大塊假我以文章。會桃李之芳園，序天倫之樂事。群季俊秀，皆爲惠連；吾人咏歌，獨慚康樂。幽賞未已，高談轉清。開瓊筵以坐花，飛羽觴而醉月。不有佳作，何伸雅懷？如詩不成，罰依金谷酒數。

——唐·李白《春夜宴諸從弟桃李園序》

世皆稱孟嘗君能得士，士以故歸之，而卒賴其力以脱於虎豹之秦。嗟乎！孟嘗君特鷄鳴狗盜之雄耳，豈足以言得士？不然，擅齊之强，得一士焉，宜可以南面而制秦，尚何取鷄鳴狗盗之力哉？鷄鳴狗盗之出其門，此士之所以不至也。

——宋·王安石《讀〈孟嘗君傳〉》

江之南有賢人焉，字子固，非今所謂賢人者，予慕而友之。淮之南有賢人焉，字正之，非今所謂賢人者，予慕而友之。二賢人者，足未嘗相過也，口未嘗相語也，辭幣未嘗相接也，其師若友，豈盡同哉？予考其言行，其不相似者何其少也！曰：學聖人而已矣。學聖人，則其師若友必學聖人者。聖人之言行，豈有二哉？其相似也適然。

予在淮南，爲正之道子固，正之不予疑也。還江南，爲子固道正之，子固亦以爲然。予又知所謂賢人者，既相似又相信不疑也。子固作《懷友》一道遺予，其大略欲相扳以至乎中庸而後已。正之蓋亦嘗云爾。夫安驅徐行，轥中庸之庭而造於其室，捨二賢人者而誰哉？予昔非敢自必其有至也，亦願從事於左右焉爾，輔而進之其可也。

噫！官有守，私有繫，會合不可以常也。作《同學》一首别子固，以相警，且相慰云。

——宋·王安石《同學一首别子固》

李文參政罷政歸鄉里時，某年二十矣，時時來訪先君，劇談終日。每言秦氏，必曰『咸陽』。憤切慨慷，形於色辭。一日，平旦來，共飯。謂先君曰：『聞趙相過嶺，悲憂出涕。僕不然，謫命下，青鞋布襪行矣，豈能作兒女態耶？』方言此時，目如炬，聲如鐘，其英偉剛毅之氣，使人興起。後四十年，偶讀公家書，雖徙海表，氣不少衰；丁寧訓戒之語，皆足垂範百世，猶想見其道『青鞋布襪』時也。淳熙戊申，五月己未，笠澤陸某題。

——宋·陸游《跋李莊簡公家書》

洛陽處天下之中，挾殽、黽之阻，當秦、隴之襟喉，而趙、魏之走集，蓋四方必爭之地也。天下當無事則已，有事則洛陽必先受兵。予故嘗曰：『洛陽之盛衰，天下治亂之候也。』

唐貞觀、開元之間，公卿貴戚開館列第於東都者，號千有餘邸。及其亂離，繼以五季之酷，其池塘竹樹，兵車蹂蹴，廢而爲丘墟；高亭大樹，烟火焚燎，化而爲灰燼，與唐共滅而俱亡，無餘處矣。予故嘗曰：『園囿之興廢，洛陽盛衰之候也。』

且天下之治亂，候於洛陽之盛衰而知；洛陽之盛衰，候於園圃之興廢而得。則《名園記》之作，予豈徒然哉？

嗚呼！公卿大夫方進於朝，放乎一己之私，自爲之，而忘天下之治忽，欲退享此，得乎？唐之末路是已。

——宋·李格非《書〈洛陽名園記〉後》

妾秦淮築室，小住萍踪。略蓄雛環，聊供肆應。乃風流學士，裘馬少年，詩酒流連，幾無虛夕。盤桓妝閣，竟引爲殊榮。是以再拓隙地，更建回廊。池館清疏，蒔花木以招蛺蝶；樓臺幽靜，掃曲徑而延嘉賓。酒緑燈紅，燈光燦爛；歌聲舞影，舞態翩躚。時亦不少貂冠珠履之流，綢繆繾綣，朝朝暮暮，無盡無休，泄泄融融，如膠如漆。但曲終人散，事過情遷。回想前塵，便如夢幻泡影矣。

自從檀郎辱臨寒舍，一見傾心，兩情歡洽。迨酒闌人去，送客留髡，此夕愛情，何以愈之。時妾少負盛名，謬承公子王孫，奬飾逾恒，推爲六院之冠。以是艷羡者固多，而忌妒者也不乏其人。乃不謂竟有官場敗類，落魄才人，勾結不肖吏胥，橫施强暴，借索逋爲詞，以逮捕相恫，索詐數度，攫金半千。奈所蓄既盡，而欲壑未填。時則幸得西臺御史，與檀郎有舊，得檀郎請爲居間，慨然俯允，始獲解圍，幸免魚肉。此情此德，耿耿於懷。妾欣幸之餘，無以克報，竊思郎既有心於妾，妾惟委身於郎。而郎謂：『余豈欲得汝而援手乎？脫人之危，而因以爲利，去厄之哉幾何？古押衙而在，匕首不陷於胸乎？』噫嘻！是藹然仁者之言也。郎意良厚，我心惟堅。第溯自妾受兹驚恐，卧病河房；而郎亦徑反吴門，未遑相送。從此一别，後會何期？昕夕相思，形之夢寐。然此身不及相從，終難自釋。以前迹象，若干年來，時時入我夢中。迨此次貴友吴公來白下，遥承寄語，藉諗起居佳勝，歡忭奚如。并聞菊秋望日，爲檀郎壽辰。届時妾當買樓船，載嬋娟，專赴吴門，捧觴上壽也。身未登程，神已馳依左右矣。釋晤非遥，虔侯晋福。

——明·馬守真《致王百谷書》

古來才子佳婦，兒女英雄，遇合甚奇，始終不易，如司馬相如之遇文君，如紅拂之歸李靖，心竊慕之。

自悲淪落，墮入平康，每當花晨月夕，侑酒征歌之時，亦不鮮少年郎君，風流學士，綢繆繾綣，無盡無休。但是事過情移，便如夢幻泡影，故覺味同嚼蠟，情似春蠶。年復一年，因服飾之奢靡，食用之耗費，入不敷出，漸漸債負不貲，交游淡薄。故又覺一身軀殼以外，都是爲累，幾乎欲把八千煩惱絲割去，一意焚修，長齋事佛。

自從相公辱臨寒家，一見傾心，密談盡夕。此夕恩情美滿，盟誓如山，爲有生以來所未有，遂又覺入世尚有此生歡樂。復蒙揮霍萬金，始得委身，服伺朝夕。春宵苦短，冬日正長。冰雪情堅，芙蓉帳暖；海棠睡足，松柏耐寒。此中情事，十年如一日。

不意河山變遷，家國多難。相公勤勞國家，日不暇給。奔走北上，跋涉風霜。從此分手，獨抱燈昏。妾以爲相公富貴已足，功業已高，正好偕隱林泉，以娱晚景。江南春好，柳絲牽舫，湖鏡開顔。相公倘徉於此間，亦得樂趣。妾雖不足比文君、紅拂之才之美，藉得追陪杖履，學朝雲之侍東坡，了此一生，願斯足矣。

——明·柳如是《寄錢牧齋書》

昨宵樂甚！碧天一色，澄澈如畫，又松竹影交加，翠影被面，月光落酒杯中，波動影摇。吹洞簫數闋，清和婉妙，聽之怡然；響絶，餘音猶繞耳間不退。出户一望，空曠無際。大醉後筆墨撩亂，已不復記憶。

今晨於袖中得紙幅，出而視之，則所謂『筆墨撩亂』者也。然亦殊可愛，以爲有殆蕩之趣。把筆效之，不能及已。因即以昨日所就者請正。

——明·高爾儼《與致虚妹丈》

人不得道，生老病死四字關，誰能透過？獨美人名將，老病之狀，尤爲可憐。夫紅顏化爲白髮，虎頭健兒化爲鷄皮老翁，復何樂？西子入五湖，姚平仲入青城山，他年未必不死，直是不見末後一段醜境耳。故曰：神龍使人見首而不見尾。

——明·陳繼儒《跋姚平仲小傳》

有野趣而不知樂者，樵牧是也；有果竄而不及嘗者，菜傭牙販是也；有花木而不能享者，達官貴人是也。古之名賢，獨淵明寄興，往往在桑麻松菊、田野籬落之間。東坡好種植，能手接花果，此得之性生，不可得而强也。强之，雖授以花史，將艴然而去之。若果性近而復好焉，請相與偃曝林間，諦看花開花落，便與千萬年興亡盛衰之轍何异？雖謂《二十一史》，盡在左編一史中可也。

——明·陳繼儒《〈花史〉跋》

我輩看名山，如看美人：顰笑不同情，修約不同體，坐卧徙倚不同境，其狀千變。山色之落眼光爾，其至者不容言也。

庚戌春晚，予游黄山有記，自謂三十二雲峰之美略盡。而元素後予往，以秋月，所爲記簡而整，有與不同者，取境使然。海子光明頂上，元素獨饒取；而予所快覽丹臺之雲氣，與石筍上下之峰幻，元素不盡也。雖然，亦各言其美也已。夫美人入宮見妒，而吾輩入山豈相妒耶？書之發覽者一笑。

——明·黄汝亨《姚元素〈黄山記〉引》

其一

夜雪大作。時欲登舟至沙市，竟爲雨雪所阻。然萬竹中雪子敲戛，錚錚有聲，暗窗紅火，任意看數卷書，亦復有少趣。自嘆每有欲往，輒復不遂。然流行坎止，任之而已。魯直所謂『無處不可寄一夢』也。

其二

天霽。晨起登舟，入沙市。午間，黑雲滿江，斜風細雨大作。予推篷四顧：天然一幅烟江幛子！

——明·袁中道《江行日記二則》

余一夕坐陶太史樓，隨意抽架上書，得《闕編》詩一帙，惡楮毛書，烟煤敗黑，微有字形。稍就燈間讀之，讀未數首，不覺驚躍，急呼周望：『《闕編》何人作者，今邪？古邪？』周望曰：『此余鄉徐文長先生書也。』兩人躍起，燈景下讀復叫，叫復讀，僮僕睡者皆驚起，蓋不佞生三十年，而始知海內有文長先生，噫，是何相識之晚也！因以所聞於越人者，略爲次第，爲《徐文長傳》。

徐渭字文長，爲山陰諸生，聲名籍甚。薛公蕙校越時，奇其才，有國士之目。然數奇，屢試輒蹶。中丞胡公宗憲聞之，客諸幕。文長每見，則葛衣烏巾，縱談天下事。胡公大喜。是時公督數邊兵，威振東南，介胄之士，膝語蛇行，不敢舉頭，而文長以部下一諸生傲之，議者方之劉真長、杜少陵云。會得白鹿，屬文長作表。表上，永陵喜。公以是益奇之，一切疏記，皆出其手。

文長自負才略，好奇計，談兵多中，視一世士無可當意者，然竟不偶。文長既已不得志於有司，遂乃放浪麴糵，恣情山水，走齊、魯、燕、趙之地，窮覽朔漠，其所見山奔海立，沙起雲行，風鳴樹偃，幽谷大都，人物魚鳥，一切可驚可愕之狀，一一皆達之於詩。其胸中又有勃然不可磨滅之氣，英雄失路托足無門之悲，故其爲詩，如嗔如笑，如水鳴峽，如種出土，如寡婦之夜哭，羈人之寒起，雖其體格時有卑者，然匠心獨出，有王者氣，非彼巾幗而事人者所敢望也。文有卓識，氣沉而法嚴，不以模擬損才，不以議論傷格，韓、曾之流亞也。文長既雅不與時調合，當時所謂騷壇主盟者，文長皆叱而奴之，故其名不出於越，悲夫！喜作書，筆意奔放如其詩，蒼勁中姿媚躍出，歐陽公所謂

『妖韶女老，自有餘態』者也。間以其餘，旁溢爲花鳥，皆超逸有致。卒以疑殺其繼室，下獄論死，張太史元汴力解乃得出。

晚年憤益深，佯狂益甚，顯者至門，或拒不納。時携錢至酒肆，呼下隸與飲。或自持斧擊破其頭，血流被面，頭骨皆折，揉之有聲。或以利錐錐其兩耳，深入寸餘，竟不得死。周望言：『晚歲詩文益奇，無刻本，集藏於家。』余同年有官越者，托以抄録，今未至。余所見者，《徐文長集》、《闕編》二種而已。然文長竟以不得志於時，抱憤而卒。

石公曰：『先生數奇不已，遂爲狂疾；狂疾不已，遂爲囹圄。古今文人牢騷困苦，未有若先生者也。雖然，胡公間世豪傑，永陵英主，幕中禮數异等，是胡公知有先生矣；表上，人主悦，是人主知有先生矣。獨身未貴耳。先生詩文崛起，一掃近代蕪穢之習，百世而下，自有定論，胡爲不遇哉？梅客生嘗寄余書曰：「文長吾老友，病奇於人，人奇於詩。」余謂文長無之而不奇者也。無之而不奇，斯無之而不奇也，悲夫！』

——明·袁宏道《徐文長傳》

作詩如交友也，倘兩友相見，終日一味作寒暄通套語，而不能聽一句肺腑之談，此等之交，如何可耐？足下之詩，敷衍唐人皮面，不能表見性情，有類泛交之友，静言思之，亦自覺少味矣。至於摹韓學杜，自負大家，則又如趙文華誇在太師門下，舉以傲人；而不知他人之門面，不足以爲自己之牌坊也。凡如此類，俱宜深維而苦思之。

——清·袁枚《與羅甥》

大塊鑄人，縮七盡精神於寸眸之内，嗚呼盡之矣。文非以小爲尚，以短爲尚；顧小者大之樞，短者長之藏也。若言猶遠而不及，與理已至而思加，皆非文之至也。故言及者無繁詞，理至者多短調。巍巍泰岱，碎而爲嶙礪沙礫，則瘦漏透皺見矣；滔滔黄河，促而爲川瀆溪澗，則清漣瀲灩生矣。蓋物之散者多漫，而聚者常斂。照乘粒珠耳，而燭物更遠，予取其遠而已；匕首寸鐵耳，而刺人尤透，予取其透而已。大獅搏象用全力，搏兔亦用全力，小不可忽也。粵西有修蛇，蜈蚣能制之，短不可輕也。

——清·廖燕《選古文小品序》

山水游記

永和九年，歲在癸丑，暮春之初，會於會稽山陰之蘭亭，修禊事也。群賢畢至，少長咸集。此地有崇山峻嶺，茂林修竹；又有清流激湍，映帶左右。引以爲流觴曲水，列坐其次，雖無絲竹管弦之盛，一觴一咏，亦足以暢叙幽情。是日也，天朗氣清，惠風和暢。仰觀宇宙之大，俯察品類之盛，所以游目騁懷，足以極視聽之娱，信可樂也。

夫人之相與，俯仰一世。或取諸懷抱，晤言一室之内；或因寄所托，放浪形骸之外。雖趣捨萬殊，静躁不同，當其欣於所遇，暫得於己，快然自足，曾不知老之將至；及其所之既倦，情隨事遷，感慨繫之矣。向之所欣，俛仰之間，已爲陳迹，猶不能不以之興懷；況修短隨化，終期於盡。古人云：『死生亦大矣。』豈不痛哉！

每覽昔人興感之由，若合一契，未嘗不臨文嗟悼，不能喻之於懷。固知一死生爲虚誕，齊彭、殤爲妄作。後之視今，亦猶今之視昔，悲夫！故列叙時人，録其所述。雖世殊事异，所以興懷，其致一也。後之覽者，亦將有感於斯文。

——晋·王羲之《蘭亭集序》

晋太元中，武陵人捕魚爲業，緣溪行，忘路之遠近。忽逢桃花林，夾岸數百步，中無雜樹，芳草鮮美，落英繽紛，漁人甚异之。復前行，欲窮其林。林盡水源，便得一山。山有小口，仿佛若有光。便捨船從口入。初極狹，纔通人復行數十步，豁然開朗。土地平曠，屋舍儼然，有良田、美池、桑竹之屬。阡陌交通，鷄犬相聞。其中往來種作，男女衣著，悉如外人。黃髮垂髫，并怡然自樂。見漁人，乃大驚，問所從來，具答之。便要還家，設酒殺鷄作食。村中聞有此人，咸來問訊。自云先世避秦時亂，率妻子邑人來此絶境，不復出焉，遂與外人間隔。問今是何世，乃不知有漢，無論魏晉。此人一一爲具言所聞，皆嘆惋。餘人各復延至其家，皆出酒食。停數日，辭去。此中人語云：『不足爲外人道也。』既出，得其船，便扶向路，處處志之。及郡下，詣太守説如此。太守即遣人隨其往，尋向所志，遂迷不復得路。南陽劉子驥，高尚士也，聞之，欣然規往，未果，尋病終。後遂無問津者。

——晋·陶潛《桃花源記》

歸去來兮，田園將蕪胡不歸。既自以心爲形役，奚惆悵而獨悲。悟已往之不諫，知來者之可追。實迷途其未遠，覺今是而昨非。舟遥遥以輕揚，風飄飄而吹衣。問征夫以前路，恨晨光之熹微。乃瞻衡宇，載欣載奔。僮僕歡迎，稚子候門。三徑就荒，松菊尤存。携幼入室，有酒盈樽。引壺觴以自酌，眄庭柯以怡顔。倚南窗以寄傲，審容膝之易安。園日涉以成趣，門雖設而常關。策扶老以流憩，時矯首而遐觀。雲無心以出岫，鳥倦飛而知還。景翳翳以將入，撫孤松而盤桓。歸去來兮，請息交以絕游。世與我而相遺，復駕言兮焉求。悅親戚之情話，樂琴書以消憂。農人告余以春及，將有事於西疇。或命巾車，或棹孤舟。既窈窕以尋壑，亦崎嶇而經邱。木欣欣以向榮，泉涓涓而始流。羨萬物之得時，感吾生之行休。已矣乎，寓形宇內復幾時，曷不委心任去留。胡爲遑遑欲何之。富貴非吾願，帝鄉不可期。懷良辰以孤往，或植杖而耘耔。登東皋以舒嘯，臨清流而賦詩。聊乘化以歸盡，樂夫天命復奚疑。

——晋・陶潛《歸去來辭》

南昌故郡，洪都新府；星分翼軫，地接衡廬。襟三江而帶五湖，控蠻荊而引甌越。物華天寶，龍光射牛斗之墟；人傑地靈，徐孺下陳蕃之榻。雄州霧列，俊采星馳。臺隍枕夷夏之交，賓主盡東南之美。都督閻公之雅望，棨戟遥臨；宇文新州之懿範，襜帷暫駐。十旬休暇，勝友如雲；千里逢迎，高朋滿座。騰蛟起鳳，孟學士之詞宗；紫電青霜，王將軍之武庫。家君作宰，路出名區；童子何知，躬逢勝餞。

時維九月，序屬三秋；潦水盡而寒潭清，烟光凝而暮山紫。儼驂騑於上路，訪風景於崇阿。臨帝子之長洲，得仙人之舊館。層臺聳翠，上出重霄；飛閣流丹，下臨無地。鶴汀鳧渚，窮島嶼之縈回；桂殿蘭宫，列岡巒之體勢。披繡闥，俯雕甍，山原曠其盈視，川澤紆其駭矚。閭閻撲地，鐘鳴鼎食之家；舸艦彌津，青雀黃龍之軸。虹銷雨霽，彩徹區明。落霞與孤鶩齊飛，秋水共長天一色。漁舟唱晚，響窮彭蠡之濱；雁陣驚寒，聲斷衡陽之浦。

遥襟俯暢，逸興遄飛。爽籟發而清風生，纖歌凝而白雲遏。睢園緑竹，氣凌彭澤之樽；鄴水朱華，光照臨川之筆。四美具，二難并。窮睇眄於中天，極娱游於暇日。天高地迥，覺宇宙之無窮；興盡悲來，識盈虚之有數。望長安於日下，指吴會於雲間。地勢極而南溟深，天柱高而北辰遠。關山難越，誰悲失路之人；萍水相逢，盡是他鄉之客。懷帝閽而不見，奉宣室以何年。嗟乎！時運不齊，命途多舛；馮唐易老，李廣難封。屈賈誼於長沙，非無聖主；竄梁鴻於海曲，豈乏明時。所賴君子安貧，達人知命。老當益壯，寧移白首之心；窮且益堅，不墜青雲之志。酌貪泉而覺爽，處涸轍以猶歡。北海雖賒，扶摇可接；東隅已逝，桑榆非晚。孟嘗高潔，空餘報國之情；阮籍猖狂，豈效窮途之哭！

勃，三尺微命，一介書生。無路請纓，等終軍之弱冠；有懷投筆，慕宗慤之長風。捨簪笏於百齡，奉晨昏於萬里。非謝家之寶樹，接孟氏之芳鄰。他日趨庭，叨陪鯉對；今晨捧袂，喜托龍門。楊意不逢，撫凌雲而自惜；鍾期既遇，奏流水以何慚。嗚呼！勝地不常，盛筵難再；蘭亭已矣，梓澤丘墟。臨別贈言，幸承恩於偉餞；登高作賦，是所望於群公。敢竭鄙誠，恭疏短引；一言均賦，四韻俱成。請灑潘江，各傾陸海云爾：

滕王高閣臨江渚，佩玉鳴鸞罷歌舞。
畫棟朝飛南浦雲，珠簾暮捲西山雨。
閑雲潭影日悠悠，物換星移幾度秋。
閣中帝子今何在？檻外長江空自流！

——唐·王勃《滕王閣序并詩》

環滁皆山也。其西南諸峰，林壑尤美。望之蔚然而深秀者，琅琊也。山行六七里，漸聞水聲潺潺，而瀉出於兩峰之間者，釀泉也。峰回路轉，有亭翼然臨於泉上者，醉翁亭也。作亭者誰？山之僧智仙也。名之者誰？太守自謂也。太守與客來飲於此，飲少輒醉，而年又最高，故自號曰『醉翁』也。醉翁之意不在酒，在乎山水之間也。山水之樂，得之心而寓之酒也。若夫日出而林霏開，雲歸而巖穴暝，晦明變化者，山間之朝暮也。野芳發而幽香，佳木秀而繁陰，風霜高潔，水落而石出者，山間之四時也。朝而往，暮而歸，四時之景不同，而樂亦無窮也。至於負者歌於途，行者休於樹，前者呼，後者應，傴僂提攜，往來而不絕者，滁人游也。臨溪而漁，溪深而魚肥。釀泉爲酒，泉香而酒洌，山肴野蔌，雜然而前陳者，太守宴也。宴酣之樂，非絲非竹，射者中，弈者勝，觥籌交錯，坐起而諠譁者，衆賓歡也。蒼顏白髮，頹然乎其間者，太守醉也。已而夕陽在山，人影散亂，太守歸而賓客從也。樹林陰翳，鳴聲上下，游人去而禽鳥樂也。然而禽鳥知山林之樂，而不知人之樂。人知從太守游而樂，而不知太守之樂其樂也。醉能同其樂，醒能述以文者，太守也。太守謂誰，廬陵歐陽修也。

——宋·歐陽修《醉翁亭記》

慶曆四年春，滕子京謫守巴陵郡。越明年，政通人和，百廢具興。乃重修岳陽樓，增其舊制，刻唐賢、今人詩賦於其上。屬予作文以記之。

予觀夫巴陵勝狀，在洞庭一湖。銜遠山，吞長江，浩浩湯湯，橫無際涯；朝輝夕陰，氣象萬千。此則岳陽樓之大觀也。前人之述備矣。然則北通巫峽，南極瀟湘，遷客騷人，多會於此，覽物之情，得無異乎？

若夫霪雨霏霏，連月不開，陰風怒號，濁浪排空；日星隱耀，山岳潛形；商旅不行，檣傾楫摧；薄暮冥冥，虎嘯猿啼。登斯樓也，則有去國懷鄉，憂讒畏譏，滿目蕭然，感極而悲者矣。

至若春和景明，波瀾不驚，上下天光，一碧萬頃；沙鷗翔集，錦鱗游泳；

岸芷汀蘭，鬱鬱青青。而或長烟一空，皓月千里，浮光躍金，靜影沉璧，漁歌互答，此樂何極！登斯樓也，則有心曠神怡，寵辱偕忘，把酒臨風，其喜洋洋者矣。

嗟夫！予嘗求古仁人之心，或異二者之爲。何哉？不以物喜，不以己悲；居廟堂之高，則憂其民；處江湖之遠，則憂其君；是進亦憂，退亦憂。然則何時而樂耶？其必曰『先天下之憂而憂，後天下之樂而樂』乎。噫！微斯人，吾誰與歸？

時六年九月十五日。

——宋・范仲淹《岳陽樓記》

臨川之城東，有地隱然而高，以臨於溪，曰新城。新城之上，有池洼然而方以長，曰王羲之之墨池者，荀伯子《臨川記》云也。羲之嘗慕張芝，臨池學書，池水盡黑，此爲其故迹，豈信然邪？方羲之之不可强以仕，而嘗極東方，出滄海，以娛其意於山水之間，豈有徜徉肆恣，而又嘗自休於此邪？羲之之書晚乃善，則其所能，蓋亦以精力自致者，非天成也。然後世未有能及者，豈其學不如彼邪？則學固豈可以少哉！況欲深造道德者邪？

墨池之上，今爲州學舍。教授王君盛恐其不章也，書『晉王右軍墨池』之六字於楹間以揭之，又告於鞏曰：『願有記。』推王君之心，豈愛人之善，雖一能不以廢，而因以及乎其迹邪？其亦欲推其事以勉其學者邪？夫人之有一能，而使後人尚之如此，況仁人莊士之遺風餘思，被於來世者何如哉。

慶曆八年九月十二日，曾鞏記。

——宋·曾鞏《墨池記》

元豐六年十月十二日，夜，解衣欲睡，月色入户，欣然起行。念無與爲樂者，遂至承天寺，尋張懷民。懷民亦未寢，相與步於中庭。庭下如積水空明，水中藻、荇交横，蓋竹柏影也。何夜無月？何處無竹柏？但少閑人如吾兩人者耳。

——宋·蘇軾《記承天寺夜游》

古今文士愛念光景，未嘗不感嘆於死生之際。故或登高臨水，悲陵谷之不長；花晨月夕，嗟露電之易逝。雖當快心適志之時，常若有一段隱憂埋伏胸中，世間功名富貴舉不足以消其牢騷不平之氣。於是卑者或縱情麴蘖，極意聲伎；高者或托爲文章聲歌，以求不朽；或究心仙佛與夫飛升坐化之術。其事不同，其貪生畏死之心一也。獨庸夫俗子，耽心勢利，不信眼前有死。而一種腐儒，爲道理所錮，亦云：『死即死耳，何畏之有！』此其人皆庸下之極，無足言者。夫蒙莊達士，寄喻於藏山；尼父聖人，興嘆於逝水。死如不可畏，聖賢亦何貴於聞道哉？

羲之《蘭亭記》，於死生之際，感嘆尤深。晉人文字，如此者不可多得。昭明《文選》獨遺此篇，而後世學語之流，遂致疑於『絲竹管弦』、『天朗氣清』之語，此等俱無關文理，不知於文何病？昭明，文人之腐者，觀其以《閑情賦》爲白璧微瑕，其陋可知。夫世果有不好色之人哉？若果有不好色之人，尼父亦不必借之以明不欺矣。

蘭亭在亂山中，澗水彎環詰曲，意古人流觴之地即在於此。今擇平地砌小渠爲之，與人家園亭中物何異哉！

——明·袁宏道《蘭亭記》

李龍眠畫羅漢渡江，凡十有八人。一角漫滅，存十五人有半，及童子三人。

凡未渡者五人：一人值壞紙，僅見腰足。一人戴笠携杖，衣袂翩然，若將度而無意者。一人疑立遠望，閉口自語。一人踞左足，蹲右足，以手捧膝，作紲紲光，雙履脱置足旁，回顧微哂。一人坐岸上，以手踞地，伸足入水，如測淺深者。

方渡者九人：一人以手揭衣，一人左手策杖，目皆下視，口呿不合。一人脱衣，雙手捧之，而承以首。一人前其杖，回首視捧衣者。兩童子首髮鬅鬙，共舁一人以渡。所舁者，長眉覆頰，面怪偉如秋潭老蛟。一人仰面視長眉者。一人貌亦老蒼，傴僂策杖，去岸無幾，若幸其將至者。一人附童子背，童子瞪目閉口，以手反負之，若重不能勝者。一人貌老過於傴僂者，右足登岸，左足在水，若起未能。而已渡者一人，捉其右臂作勢起之。老者努其喙，纈紋皆見。又一人已渡者，雙足尚跣，出其履將納之，而仰視石壁，以一指探鼻孔，軒渠自得。

按羅漢於佛氏爲得道之稱，後世所傳高僧，猶云錫飛杯渡。而爲渡江，艱辛乃爾，殊可怪也。推畫者之意，豈以佛氏之作止語默，皆與人同，而世之學佛者，徒求卓詭變幻、可喜可愕之迹，故爲此圖，以警發之歟？昔人謂太清樓所藏吕真人畫像，儼若孔老，與他畫師作輕揚狀者不同，當即此意。

——明·黄淳耀《李龍眠畫羅漢記》

雨中上韜光，霧樹相引，風烟披薄，飛流木末，江懸海掛。稍倦，時踞石而坐，時倚竹而息。大都山之姿態，得樹而妍；山之骨格，得石而蒼；山之營衛，得水而活：惟韜光道中能全有之。初至靈隱，求所謂『樓觀滄海日，門對浙江潮』者，竟無所有；至韜光，了了在吾目中矣。白太傅碑可讀，雨中泉可聽，恨僧少可語耳！

枕上沸波，臨夜不息，視聽幽獨，喧極反寂，益信『聲無哀樂』也。

——明・蕭士瑋《湖山小記》

崇禎五年十二月，余在西湖。大雪三日，湖中人鳥聲俱絕。是日，更定矣，余拏一小舟，擁毳衣爐火，獨往湖心亭看雪。霧凇沆碭，天與雲、與山、與水，上下一白。湖上影子，唯長堤一痕、湖心亭一點，與余舟一芥、舟中人兩三粒而已。

到亭上，有兩人鋪氈對坐，一童子燒酒，爐正沸。見余，大驚，喜曰：『湖上焉得更有此人！』拉與同飲。余强飲三大白而別。問其姓氏，是金陵人，客此。及下船，舟子喃喃曰：『莫説相公痴，更有痴似相公者。』

——明・張岱《湖心亭看雪》

廣陵二十四橋風月，邗溝尚存其意。渡鈔關，橫亘半里許，爲巷者九條。

巷故九，凡周旋折旋於巷之左右前後者，什百之。巷口狹而腸曲，寸寸節節，有精房密户，名妓、歪妓雜處之。名妓匿不見人，非向道莫得入。歪妓多可五六百人，每日傍晚，膏沐熏燒，出巷口，倚徙盤礴於茶館酒肆之前，謂之『站關』。茶館酒肆岸上紗燈百盞，諸妓掩映閃滅於其間，舥盩者簾，雄趾者閾，燈前月下，人無正色，所謂『一白能遮百丑』者，粉之力也。游子過客，往來如梭，摩睛相覷，有當意者，逼前牽之去，而是妓忽出身分肅客先行，自緩步尾之。至巷口，有偵伺者向巷門呼曰：『某姐有客了！』内應聲如雷，火燎即出。一一俱去，剩者不過二三十人。沉沉二漏，燈燭將盡，茶館黑魆無人聲。茶博士不好請出，惟作呵欠，而諸妓醵錢向茶博士買燭寸許，以待遲客。或發嬌聲唱《劈破玉》等小詞，或自相謔浪嘻笑，故作熱鬧以亂時候，然笑言啞啞聲中，漸帶凄楚。夜分不得不去，悄然暗摸如鬼，見老鴇，受餓、受笞，俱不可知矣。余族弟卓如，美鬚髯，有情痴，善笑，到鈔關必狎妓，向余噱曰：『弟今日之樂，不減王公。』余曰：『何謂也？』曰：『王公大人侍妾數百，到晚耽耽望幸，當御者亦不過一人。弟過鈔關，美人數百人目挑心招，視我如潘安，弟頤指氣使，任意揀擇，亦必得一當意者呼而侍我。王公大人，豈遂過我哉！』復大噱，余也大噱。

——明・張岱《二十四橋風月》

浮圖文瑛，居大雲庵，環水，即蘇子美滄浪亭地也。亟求余作《滄浪亭記》，曰：『昔子美之記，記亭之勝也。請子記吾所以爲亭者。』

余曰：『昔吴越有國時，廣陵王鎮吴中，治園於子城之西南，其外戚孫承佑，亦治園於其偏。迨淮海納土，此園不廢。蘇子美始建滄浪亭，最後禪者居之。此滄浪亭爲大雲庵也。有庵以來二百年，文瑛尋古遺事，復子美之構於荒殘滅没之餘，此大雲庵爲滄浪亭也。夫古今之變，朝市改易。嘗登姑蘇之臺，望五湖之渺茫，群山之蒼翠，太伯、虞仲之所建，闔閭、夫差之所争，子胥、種、蠡之所經營，今皆無有矣，庵與亭何爲者哉？雖然，錢鏐因亂攘竊，保有吴、越，國富兵强，垂及四世，諸子姻戚，乘時奢僭，宫館苑囿，極一時之盛，而子美之亭，乃爲釋子所欽重如此。可以見士之欲垂名於千載，不與其澌然而俱盡者，則有在矣。

文瑛讀書喜詩，與吾徒游，呼之爲滄浪僧云。

——明·歸有光《滄浪亭記》

附録一：題款中的敬辭與謙辭

敬辭

敬辭是指含恭敬口吻的用語，在書畫落款、題跋及書信往來中經常會運用到。

『令』字一族。用於對方的親屬或有關係的人。如令尊：尊稱對方的父親；令堂：尊稱對方的母親；令郎：尊稱對方的兒子；令愛、令嫒：尊稱對方的女兒；令兄：尊稱對方的兄長；令弟：尊稱對方的弟弟；令侄：尊稱對方的侄子。

『拜』字一族。用於自己的行爲動作涉及對方。如拜讀：指閱讀對方的文章；拜辭：指告别對方；拜訪：指訪問對方；拜服：指佩服對方；拜賀：指祝賀對方；拜識：指結識對方；拜托：指托對方辦事情；拜望：指探望對方。

『奉』字一族。用於自己的動作涉及對方時。如奉達：告訴，表達；奉復：回復；奉告：告訴；奉還：歸還；奉陪：陪伴；奉勸：勸告；奉送、奉贈：贈送；奉迎：迎接。

『惠』字一族。用於對方對待自己的行爲動作。如惠存：請保存；惠臨：指對方到自己這裏來；惠顧：來臨；惠允：指對方允許自己做某事；惠贈：指對方贈與財物。

『恭』字一族。表示恭敬地對待對方。如恭賀：恭敬地祝賀；恭候：恭敬地等候；恭請：恭敬地邀請；恭迎：恭敬地迎接；恭喜：祝賀對方的喜事。

『垂』字一族。用於長輩或上級對自己的行動。如垂愛：稱對方對自己的愛護；垂青：稱別人對自己的重視；垂問、垂詢：稱別人對自己的詢問；垂念：稱別人對自己的思念。

『貴』字一族。稱與對方有關的事物。如貴幹：問人要做什麽；貴庚：問人年齡；貴姓：問人姓；貴恙：稱對方的病；貴子：稱對方的兒子；貴國：稱對方的國家。

『高』字一族。稱別人的事物。如高見：高明的見解；高就：指人的職位；高齡、高壽：用於問老人的年齡；高足：稱呼別人的學生；高論：稱別人的議論。

『大』字一族。尊稱對方或稱與對方有關的事物。如大人：稱長輩；大駕：稱對方；大師傅：尊稱和尚；大名：稱對方的名字；大慶：稱老年人的

壽辰　大作　稱對方的著作；大札：稱對方的書信。

『敬』字一族。用於自己的行動涉及別人。如敬告：告訴；敬賀：祝賀；敬候：等候；敬禮（用於書信結尾）：表示恭敬；敬謝不敏：表示推辭做某件事。

『請』字一族。用於希望對方做某事。如請問：用於請求對方回答問題；請坐：請求對方坐下；請進：請對方進來。

『屈』字一族。如屈駕（多用於邀請人）：委屈大駕；屈就（多用於請人擔任職務）：委屈就任；屈居：委屈地處於較低的地位；屈尊：降低身份俯就。

『光』字一族。表示光榮，用於對方來臨。如光顧：稱客人來到；光臨：稱賓客到來。

『俯』字一族。公文書信中用來稱對方對自己的行動。如俯察：稱對方或上級對自己理解；俯就：用於請對方同意擔任職務；俯念：稱對方或上級體念；俯允：稱對方或上級允許。

『華』字一族。稱對方的有關事物。如華誕：稱對方生日；華堂：稱對方的房屋；華翰：稱對方的書信；華宗：稱人同姓。

『老』字一族。用來尊稱別人。如老伯、老太爺：可尊稱老年男子；老前輩：尊稱同行裏年紀較大、資格較老、經驗較豐富的人。

『叨』字一族。受到好處，表示感謝。如叨光：沾光；叨教：領教；叨擾：打擾。

『雅』字一族。用於稱對方的情意或舉動。如雅教：稱對方的指教；雅意：稱對方的情意或意見；雅正（把自己的詩文書畫等送給人時）：指正批評。

『玉』字一族。用於對方身體或行動。如玉體：稱對方身體；玉音：尊稱對方的書信、言辭；玉照：稱對方的照片；玉成：成全。

『芳』字一族。用於對方或與對方有關的事物。如芳鄰：稱對方的鄰居；芳齡：稱年輕女子的年齡；芳名：稱年輕女子的名字。

『賢』字一族。用於平輩或晚輩。如賢弟：稱自己的弟弟或比自己年齡小的男性；賢侄：稱侄子。

此外還有鼎力：大力；足下：稱對方；包涵：請人原諒；笑納：請對方接納收下；府上：稱對方房屋；璧還：歸還物品；卓奪、鈞裁：稱對方高明的決斷；臺安、臺祺、臺餒：用於祝福對方吉祥、平安；鈞諭：書信中稱尊長所說的話；斧正、指正、雅教、賜教：請對方對自己文章、作品的指教；惠鑒、鈞鑒、雅鑒、臺鑒、臺覽：用於請對方審閱、審查；謹悉：恭敬地知

道　方家　『大方之家』的簡稱，多指精通某種學問、藝術的人。

謙辭

謙辭，是表示謙虛的言辭，在書畫落款、題跋及書信往來中經常會運用到。

『家』字一族。用於對別人稱自己輩分高或年紀大的親戚。如家父、家尊、家嚴、家君：稱父親；家母、家慈：稱母親；家兄：稱兄長。

『舍』字一族。用於對別人稱自己輩分低或年紀小的親戚。如舍弟：稱弟弟；舍妹：稱妹妹；舍侄：稱侄子；舍親：稱親戚。

『小』字一族。謙稱自己或與自己有關的人或事物。如小弟：男性在朋友或熟人之間謙稱自己；小兒：謙稱自己的兒子；小女：謙稱自己的女兒；小人：地位低的人自稱；小生：青年讀書人自稱；小可：謙稱自己。

『老』字一族。用於謙稱自己或與自己有關的事物。如老粗：謙稱自己沒有文化；老朽：老年人謙稱自己；老臉：年老人指自己的面子；老身：老年婦女謙稱自己。

『敢』字一族。表示冒昧地請求別人。如敢問：用於問對方問題；敢請：用於請求對方做某事；敢煩：用於麻煩對方做某事。

『愚』字一族。用於自稱的謙稱。如愚兄：向比自己年輕的人稱自己；愚見：稱自己的見解。也可單獨用『愚』謙稱自己。

『拙』字一族。用於對别人稱自己的東西。如拙筆、拙作：謙稱自己的文字或書畫；拙著：謙稱自己的文章；拙見：謙稱自己的見解。

『敝』字一族。用於謙稱自己或跟自己有關的事物。如敝人：謙稱自己；敝姓：謙稱自己的姓；敝處：謙稱自己的房屋、處所。

『鄙』字一族。用於謙稱自己或跟自己有關的事物。如鄙人：謙稱自己；鄙意：謙稱自己的意見；鄙見：謙稱自己的見解。

另外還有寒舍：謙稱自己的家；犬子：稱自己的兒子；謹啓：恭敬地陳述；鑒宥：請原諒；爲荷、是荷：接受你的恩惠（如復函爲荷）；後學：後進的學者或讀書人。

附録二：月份雅稱

一月

太簇　太蔟　大簇　大蔟　泰簇　泰蔟　泰月　建寅　寅月　寅序　登明　正月　正陽　正歲　上月　上春　上陽　王月　王正　王春　三正　三陽　元正　元月　元春　元陽　子春　首正　首春　首歲　首陽　首祚　早月　早春　征月　開年　開春　開歲　歲始　歲初　歲首　月正　初月　初歲　初陽　初春　年首　春王　春正　春陽　春首　春孟　春初　新正　新春　新歲　新陽　始春　芳歲　青歲　青陽　華歲　華春　肇年　肇歲　肇春　獻歲　獻春　發歲　發春　孟春　孟陽　孟陬　謹月　端月　陬月　嘉月　甫年　監德　夏正　三之日　三陽月　三微月　十三月　王正月　周三月　春王月　寅孟月　建寅月

二月

夾鍾　圜鍾　桃月　如月　令月　麗月　婚月　建卯　卯月　花月　杏月　春中　春半　華景　酣春　盛春　仲陽　仲春　仲序　中陽　中和　陽中　竹秋　降入　殷春　震節　繁節　橘如　河魁　天魁　四陽　大壯月　四陽月　四之日　中和月　不筮月　建卯月　小草生月

三月

姑洗　建辰　辰月　季春　三春　杪春　晚春　殘春　末春　暮春　暮
陽　暮律　暮月　春杪　夬月　李月　蠶月　寎月　禊月　春暮　春末
春晚　殿春　杪春　餘春　春歸　嘉月　喜月　稻月　桐月　花月　花
節　從魁　青章　鶯時　雩風　桃浪　桃緣　桃月　竹秋　花見月　花
飛月　花老月　五陽月　桃季月　小清明　櫻筍時　建辰月　建辰之月
桃花水之時

四月

仲呂　仲月　乏月　梅月　梅溽　麥月　麥候　麥夏　麥序　麥秋　槐
月　槐夏　槐序　孟夏　始夏　維夏　初夏　上夏　早夏　新夏　開夏
夏首　夏初　首夏　中呂　小呂　陰月　餘月　巳月　農月　農節　畏
月　乾月　乾梅　朱明月　雩月　圉月　六陽　純陽　純乾　陽月　荒
月　忙月　傳送　清和　正陽月　鳥待月　清和月　建巳月　建巳之月

五月

蕤賓　蒲月　蒲節　莒節　艾節　暑月　午月　姤月　鶉月　皋月　惡
月　榴月　鳴蜩　仲夏　仲暑　中夏　盛夏　夏半　夏中　小刑　天中
郁蒸　勝光　超夏　開月　啓明　一陰月　端五月　端午月　端陽月
薰風月　浴蘭月　建午月

六月

林鍾　伏月　荷月　季夏　晚夏　長夏　三夏　小吉　末夏　杪夏　遯
月　焦月　且月　且暑　徂暑　薰暑　百鍾　鶉炎　精陽　積陽　天貺

暑月　暮夏　高暑　殘暑　殘夏　溽暑　渴暑　炎吉　炎陽　炎夏　炎月　勝光　二陰月　長夏月　蟬羽月　建未月　鳴神月

七月　夷則　太乙　申月　涼月　瓜月　瓜時　瓜秋　巧月　巧秋　孟秋　上秋　孟商　素商　新秋　冷月　新月　文月　否月　相月　蘭月　蘭秋　早秋　首秋　肇秋　開秋　涼秋　上秋　初秋　秋初　桐秋　始秋　初商　商月　大晋　金神　烹菽　蕭秋　三陰月　流火月　大慶月　白露秋　建申月

八月　南呂　天罡　桂月　桂秋　柘月　酉月　觀月　素月　清月　清秋　壯月　獲月　函鍾　寒且　長王　大章　迎寒　仲秋　仲商　秋半　秋中　中秋　中律　正秋　高秋　秋門　秋高　金秋　虛宿　竹春　陰中　橘春　四陰月　端正月　竹小春　大清明　雁來月　燕去月　闔户月　秋風月　建酉月

九月　無射　亡射　太冲　戌月　三秋　菊月　菊序　菊秋　剥月　長月　戌月　貫月　忌月　朽月　霜月　霜辰　霜序　天睢　素秋　涼秋　末秋　秋末　窮秋　杪秋　秋杪　杪商　暮秋　暮商　深秋　晚秋　殘秋　凛秋　玄月　玄序　終玄　季商　季秋　寒秋　肅霜　歲晏　五陰月　青女月　授衣月　鴻賓月　建戌月

十月 應鍾 小春 小吕 方冬 開冬 功曹 上冬 孟冬 初冬 亥月 玄冬 玄仲 良月 早冬 首冬 新冬 始冬 吉月 烝冬 坤月 檀月 陽春 陽月 正陽 極陽 歲陽 陽止 大月 大素 始冰 養夜 陰月 正陰月 小陽春 大章月 建亥月 始裘天 北户墐扉之日 東皋 獲稻之辰

十一月 黄鐘（鍾） 暢月 冬月 冬半 復月 子月 辜月 達月 紙月 周月 周正 葭月 棗月 大吉 六吕 三至 風寒 霜天 霜月 正冬 仲冬 中冬 中寒 天泉 水正 新陽 陽復 陽夏 冰壯 亞歲 日凍 短至 一之日 一陰月 廣寒月 葉蟄官 龍潛月 冬子月 建子月

十二月 大吕 丑月 臘月 蠟月 臘冬 臈月 汃月 三冬 臨月 除月 冰月 涂月 荼月 冷月 冰月 嚴月 嚴冬 窮月 窮冬 窮天 窮律 窮陰 窮紀 窮年 窮節 窮稔 凋月 神后 暮冬 暮節 暮歲 晚冬 殘冬 隆冬 深冬 杪歲 杪冬 歲杪 歲終 季冬 殘冬 清冬 寒冬 蒼冬 冬末 末冬 冬素 冬杪 冬臘 嘉平 玄律 二陽 清祀 玄枵 極月 天皓 橘涂 殷正 步杪 一歲市 二之日 二陰月 星回節 地正月 大禁月 愁苦節 嘉平月 建丑月

附録三：紀日雅稱

一月

初一日 元日 元旦 元正 元辰 三元 三朝 三朔 三始 四始 正旦
正日 正朝 正朔 正始 朔日 七始 鷄日 獻節 小歲 月吉
春旦 春節 華節 華始 芳節 良節 嘉節 韶節 淑節 新正
端日 首祚 肇祚 履端 大年朝 天中節 天正節 天臘節 歲
朝春

初二日 犬日 狗日 植竹

初三日 豕日 豬日 小年朝 天慶節 上正三節

初四日 羊日 開基日

初五日 牛日 破五 五路財神日

初六日 馬日

初七日 人日 元七 上七 登高 靈辰 人勝節

初八日 穀日 穀旦 穀生日 上八日

初九日 天誕　天日　上九　豆日　朝三元

初十日 地日　棉日

十一日 太均娘娘誕

十二日 雲開日　雲開節

十三日 掛塔燈　散花燈

十四日 迎節　送節

十五日 上元　上燈　元夕　元夜　元宵　元神　元宵節　燈夕　燈節　傳柑節　圓子節　探春日　天官賜福辰

十六日 耗日　耗磨日　耗磨辰　餛飩節　門神誕

十七日 展上元

十九日 宴丘　闥丘　添倉　填倉　燕九日　燕九節

二十日 天穿　天穿日　天飢日　補天穿　補天漏　黃道婆祭　女媧補天日

廿一日 補天穿　天地穿日

廿三日 天穿節　補天穿

廿四日 補天

廿五日 填倉日

廿七日 天地水三官誕

廿九日 窮九 窮九

三十日 後九 送窮 補天日

二月

初一日 初吉 中春 中和節 芳春節 催花節 天正節

初二日 迎富節 花朝節 龍頭節 踏草節 挑菜節 百花生日

初八日 芳春節 插花節

初九日 三令節

初十日 彩蛋節

十二日 花朝 花朝節 百花生日

十三日 收花節

十四日 花除夕

十五日 春半 中春 花晨 花朝 真元節 降聖節 勸農日 花生節 佛

逝節 老子誕 花朝月夕

十九日 觀音誕

三月

初一日 大昕 入蠶

初二日 中和節

初三日 上巳 元巳 三巳 初巳 上除 禊日 重三 青闌 踏青節 修禊日 祓禊日

初五日 禁烟 大禹誕

初十日 撒種節

十一日 麥日 麥生日

十五日 展上巳 龍華會

十六日 黃姑浸種節 筆祖蒙恬誕

二十日 散花節 魯班誕

廿三日 天后媽祖誕

廿八日 倉頡先師誕

三十日 春盡日

四月

初一日 四始日 正陽日 清和日 天祺節 天禎節

初四日 稻生日

初八日 佛節 佛日 佛生日 浴佛節 洗佛節 法華會 佛誕辰 釋迦佛生日

十四日 菖蒲日 神仙日 神仙生日

十五日 結夏 結制

十九日 浣花日 浣花天

二十日 天休節

五月

初一日 端一

初二日 端二

初三日 端三

初四日 端四 重四節

初五日 端五 端午 蒲節 午節 午日 重午 重五 艾節 天節 小端陽節 端陽節 天中節 五月節 粽子節 地臘節 詩人節

初九日 沐浴日

十三日 竹醉日 竹迷日 龍生日

十五日 大端陽

十六日 天地合日 天地萬物造化之辰

六月

初六日 六六日 清暑日 天貺節 晒衣日 晒書日

初八日 采芝

廿四日 荷日 觀蓮節 荷花生日

廿六日 觀蓮節

廿八日 火節 火把節

七月

初一日 先天節

初六日 嘉辰

初七日 七夕 七巧 乞巧 星節 星期 巧日 巧夕 仙期 綺節 首秋節 雙蓮節 乞巧節 雙星節 魁星會 鵲駕節

初八日 八夕

十三日 迎節 送節

十四日 迎節 秋禊日

十五日 中元 中元日 中元節 解夏日 受臘節 麻姑節 七月半

八月

初一日 天醫節 六神日

初五日 天長節

初八日 橘小春 竹小春

初九日

十五日 中秋 月夕 秋節 一半秋 三五夕 八月半 八月節 端正節

中秋節 團圓節 月餅節 移花日

十六日 中秋

十八日 迎潮 潮日 潮生日 觀潮節

廿四日 稻節

九月

初八日 菜市

初九日 上九 重九 重陽 九日 九辰 菊秋 糕節 九九辰 九月九

茱萸節 菊花節 黃花節 重陽節 登高節

初十日（閏九月初九日） 小重陽

十二日 賽重陽

十三日 風生日 孟婆生日

十九日 古重陽 展重陽

廿五日 天符節

三十日 采參節

十月

初一日 十朔 陽朔 拜冬 十月朔 四始月 秦歲首 開爐節

初三日　龍聚日

初五日　風日　風生日

初九日　閹九

初十日　重十　天寧節

十五日　下元　下元日　下元節

十八日　盤古節

二十日　霑日

十一月

初一日　天正　正朔　歲朔

初五日　天應節

十二月

初一日　地正

初八日　臘八　臘日　臘八節　祀竈日

十二日　百福日

十六日　星回節　天竺臘

廿三日　小年　洗竈日

廿四日　小年　除殘　小歲辰　小節夜　念四夜　交年節　小過年

廿五日 爆竹

廿七日 除殘

廿九日 小除 小年夜 小除夕

三十日 除夕 除日 除夜 守歲 歲除 歲盡 歲窮 歲夜 窮日 卒歲 冬盡 除夕節 大年夜 大節夜

其他

一陰生 日長至（夏至日）

一陽日 一陽生（冬至日）

一陽節 日短至 短至（冬至節）

上浣（農曆每月上旬，即初一至初十日）

中浣（農曆每月中旬，即十一至二十日）

下浣（農曆每月下旬，即二十一至三十日）

上九（農曆每月二十九日）

中九（農曆每月初九日）

下九（農曆每月十九日）

月旦　月吉　上日　月朔　朔日（農曆每月初一）

朏（農曆每月初三）

月望（農曆大月十五日、小月十六日）

既望　望後（農曆每月十六日）

晦（農曆每月末日）

附録四：公元干支紀年對照表（1804—2043）

甲子	1804	1864	1924	1984	己卯	1819	1879	1939	1999	甲午	1834	1894	1954	2014	己酉	1849	1909	1969	2029
乙丑	1805	1865	1925	1985	庚辰	1820	1880	1940	2000	乙未	1835	1895	1955	2015	庚戌	1850	1910	1970	2030
丙寅	1806	1866	1926	1986	辛巳	1821	1881	1941	2001	丙申	1836	1896	1956	2016	辛亥	1851	1911	1971	2031
丁卯	1807	1867	1927	1987	壬午	1822	1882	1942	2002	丁酉	1837	1897	1957	2017	壬子	1852	1912	1972	2032
戊辰	1808	1868	1928	1988	癸未	1823	1883	1943	2003	戊戌	1838	1898	1958	2018	癸丑	1853	1913	1973	2033
己巳	1809	1869	1929	1989	甲申	1824	1884	1944	2004	己亥	1839	1899	1959	2019	甲寅	1854	1914	1974	2034
庚午	1810	1870	1930	1990	乙酉	1825	1885	1945	2005	庚子	1840	1900	1960	2020	乙卯	1855	1915	1975	2035
辛未	1811	1871	1931	1991	丙戌	1826	1886	1946	2006	辛丑	1841	1901	1961	2021	丙辰	1856	1916	1976	2036
壬申	1812	1872	1932	1992	丁亥	1827	1887	1947	2007	壬寅	1842	1902	1962	2022	丁巳	1857	1917	1977	2037
癸酉	1813	1873	1933	1993	戊子	1828	1888	1948	2008	癸卯	1843	1903	1963	2023	戊午	1858	1918	1978	2038
甲戌	1814	1874	1934	1994	己丑	1829	1889	1949	2009	甲辰	1844	1904	1964	2024	己未	1859	1919	1979	2039
乙亥	1815	1875	1935	1995	庚寅	1830	1890	1950	2010	乙巳	1845	1905	1965	2025	庚申	1860	1920	1980	2040
丙子	1816	1876	1936	1996	辛卯	1831	1891	1951	2011	丙午	1846	1906	1966	2026	辛酉	1861	1921	1981	2041
丁丑	1817	1877	1937	1997	壬辰	1832	1892	1952	2012	丁未	1847	1907	1967	2027	壬戌	1862	1922	1982	2042
戊寅	1818	1878	1938	1998	癸巳	1833	1893	1953	2013	戊申	1848	1908	1968	2028	癸亥	1863	1923	1983	2043

後記

本書的獨特之處主要有兩點：

一、在精選詩、詞、對聯、名言的同時，對歷代名篇，特别是明清小品文廣爲收録。隨着書法發展的需要，書寫者已不再滿足於書寫那些耳熟能詳的詩詞，而將書寫内容擴展至優美短小的古文，這在近年全國性展覽的作品中可以得到印證，本書着力選録明清人小品文，出發點即是基於書者的需要。

二、本書資料來源涉及二十多種圖書，主要集中在中華書局、上海古籍出版社等專業出版社所出版圖書，故内容的可靠性有所保障。而且在審讀、校對方面，除嚴格執行三審三校外，還請辭書方面的專家對本書予以逐條審核，這樣可以免除書寫者抄録過程中的遺憾和後顧之憂。當然，如有舛誤之處，我們將在再版中予以修訂，敬請讀者批評指正。

編　者

二〇一二年七月